D1633946

Chère Lectrice,

Il existe dans la vie des moments extraordinaires de hasard et de chance.
Dans les romans de la Série Coup de foudre, vous découvrirez le destin étonnant de héros modernes, emportés dans une aventure passionnante, pleine d'action, d'émotion et de sensualité.
Duo connaît bien l'amour. La série Coup de foudre vous séduira.

Coup de foudre : le rêve vécu,
quatre nouveautés par mois.

10.

La Cinquième Avenue.

Série Coup de foudre

CHARLOTTE WISELY

Les magies de l'amour

Les livres que votre cœur attend

Titre original : *Love has no pride* (14)
© 1983, Charlotte Hastings
Originally published by
THE NEW AMERICAN LIBRARY,
New York

Traduction française de : Marie-Odette Allain
© 1985, Éditions J'ai Lu
27, rue Cassette, 75006 Paris

Chapitre 1

POUR LA CENTIÈME FOIS, EVE FORSYTHE REJETA D'UN COUP de tête cette maudite frange blonde qui lui balayait le front. Le métro était comble. Une secousse la précipita sur son voisin.

— Veuillez m'excuser, dit-elle, en rajustant la courroie de sa lourde sacoche.

Peut-être, un jour, aurait-elle les moyens de s'offrir des taxis et d'éviter ainsi la foule du lundi matin ? En attendant pareille fortune, Eve continuait d'exercer son métier de photographe en free-lance, en espérant un jour se distinguer de ses centaines de confrères. Dans ce milieu, la concurrence est féroce, il ne suffit pas d'être bon, il faut être le meilleur ! Bon nombre de photographes avaient autant de talent qu'elle et connaissaient, en plus, toutes les ficelles du métier.

Trois ans plus tôt, Eve avait pris la difficile décision d'abandonner l'enseignement au profit de la photographie. Il lui avait fallu quitter sa famille, la petite ville d'Eversville dans le Vermont et, surtout, la sécurité !

Venir à New York apprendre le métier, trouver un appartement et chercher une agence n'avaient guère été aisés.

Aujourd'hui, la chance semblait lui sourire. Le magazine *Artbeat* venait de lui proposer un article illustré de photos sur la vie des mannequins de mode. Phil, le rédacteur en chef, avait eu une idée ingénieuse.

— Les femmes n'ont plus le privilège de cette profession, avait-il expliqué. De nos jours, les hommes deviennent de plus en plus coquets et élégants. Aussi, allez chez Virginia Stein interviewer de préférence un homme exerçant ce métier.

Eve avait accepté avec enthousiasme et Phil avait ajouté, non sans une once d'ironie :

— Ne vous inquiétez pas s'ils vous font la cour, tout le monde sait que les femmes ne les intéressent pas.

La remarque manquait d'élégance mais il avait probablement raison.

— Je suivrai vos conseils, d'ailleurs, je cherche du travail et non un homme.

Un léger sourire se dessina sur ses lèvres au souvenir de cette conversation. Comme la rame de métro s'arrêtait enfin à sa station, Eve descendit en hâte pour s'engouffrer dans l'escalator. Toujours courir ! Toujours sur la brèche ! Quel travail absorbant ! Mais pour rien au monde elle ne l'aurait échangé contre un autre.

L'agence de Virginia Stein était située dans la Cinquième Avenue. A en juger par l'élégance du quartier et la luxueuse salle d'attente, cette société ne devait recruter que des mannequins de première classe.

6

Eve foula l'épaisse moquette et se dirigea vers la réception.

— Bonjour, dit-elle à la secrétaire, je travaille pour *Artbeat* et je vous ai téléphoné hier à propos d'un mannequin que je voudrais engager pour mon reportage.

— Oui, je me souviens. Veuillez vous asseoir, je vais appeler l'un de nos responsables.

Eve s'installa sur le confortable canapé. Elle avait visé très haut en s'adressant à la plus onéreuse agence de mannequins. *Artbeat* lui avait accordé un petit budget et la jeune fille était prête à payer le supplément de sa poche. Laisser passer une telle chance, ne pas mettre tous les atouts de son côté lui avait paru stupide. Toutefois, son manque d'expérience risquait de lui jouer des tours.

— Oh! Et puis on verra! grommela-t-elle à mi-voix. J'ai vingt-cinq ans, il est temps que je me jette à l'eau.

Pendant quelques minutes, Eve observa le va-et-vient qui animait le hall. A ses côtés, une exclamation bourrue la fit sursauter.

— Nom d'un chien!

Elle se retourna et croisa le regard irrité d'un homme grand et blond qui venait de se laisser tomber sur le divan. Il était difficile d'imaginer quelqu'un de plus séduisant : un véritable dieu grec.

— Désolé, dit-il, je ne vous avais pas vue.

— Aucune importance, rétorqua Eve en détaillant les traits énergiques, la bouche sensuelle et les yeux d'un bleu profond de son voisin.

De toute évidence, l'étranger devait être modèle. Par sa beauté et sa prestance, il répondait exactement au type d'homme qu'Eve rêvait de tenir derrière son objectif.

Flatté par la revue de détail dont il était l'objet, l'inconnu eut un sourire amusé et Eve devint cramoisie.

— Je vous prie de m'excuser. Vous êtes mannequin, n'est-ce pas ?

— Ne soyez pas confuse, j'ai l'habitude d'être dévisagé.

— Je n'en doute pas, lâcha-t-elle avec une naïveté désarmante.

Elle s'interrompit gagnée par la timidité. De nouveau, une lueur ironique traversa le regard posé sur elle et il daigna se présenter.

— Je m'appelle Ray Halpern. Ma journée commence mal, voici la raison de ma mauvaise humeur. Et vous ?

— Eve Forsythe. Je dois admettre que la bousculade des lundis matin à New York n'est pas particulièrement plaisante. Je sors du métro comme d'un laminoir.

Ray releva un sourcil railleur et se mit à rire.

— J'ai l'impression que je ne suis pas le seul à m'être levé du pied gauche.

Ils échangèrent un sourire de connivence. Si seulement l'opportunité lui était offerte de présenter adroitement sa requête ! Mais la glace était rompue et ils commencèrent à bavarder le plus naturellement du monde. Dix minutes plus tard, ils découvraient qu'ils étaient tous les deux originaires du Vermont. Eve avait eu la chance de vivre à Eversville, une des villes les plus riches de la région, dans une famille relativement aisée. En revanche, elle comprit qu'il n'en avait pas été de

8

même pour Ray dont la jeunesse s'était écoulée à Wilkins.

Il évoqua son enfance dans ce comté pauvre et défavorisé où les fermiers suffisaient à peine à leurs besoins.

— N'est-ce pas étrange d'avoir été élevés presque côte à côte sans jamais nous être rencontrés et de nous retrouver dans la Cinquième Avenue, au cœur d'une ville qui compte plus de huit millions d'habitants !

Eve acquiesça en riant.

— Parlez-moi de vous, que faites-vous ici ? reprit-il sérieusement.

Durant quelques minutes, Eve l'avait oublié ! Elle hésita entre le ton professionnel et l'envie de se laisser aller à la confidence. En définitive, elle lui exposa simplement la situation.

— J'ai besoin d'un excellent modèle pour illustrer mon article. Un succès pourrait me lancer dans la carrière, paraît-il.

Ray l'observa avec insistance et, de nouveau, la jeune fille rougit sous le regard de cet homme superbe. La courbe sensuelle de sa bouche la troubla d'une façon excessive. Elle ne connaissait rien de lui et se gourmanda pour ses idées ridicules.

— Ecoutez, déclara-t-il soudain, voilà ce que nous allons faire. J'avais un rendez-vous qui vient d'être annulé. Je suis libre jusqu'à mon prochain engagement. Je suppose que Virginia ne verra aucun inconvénient à ce que vous utilisiez mes services aujourd'hui. Non, ne me remerciez pas, vous m'épargnez une journée d'attente ennuyeuse. Maintenant, allons voir ce qu'elle en pense.

Ray se leva. Eve bondit sur ses pieds sans cacher sa joie et lui décocha un sourire radieux.

— Quelle merveilleuse idée ! Allons-y !

Une demi-heure plus tard, l'affaire était conclue et l'un des studios de l'agence mis à leur disposition. Ce reportage promettait de s'effectuer sous les meilleurs auspices. Eve s'émerveillait d'une pareille chance !

Hormis une table et deux chaises, la pièce était vide, merveilleusement éclairée et peinte en blanc. On lui avait proposé quelques décors, mais tout compte fait la jeune fille préférait l'austérité des murs nus. La personnalité de Ray Halpern était amplement suffisante pour animer ses photos surtout si elle le mettait en valeur par des jeux d'ombre et de lumière.

Avant de commencer son travail, Eve alla se laver les mains dans la petite salle de bains attenante. Elle brossa également ses cheveux blonds et remit une touche de mascara sur ses longs cils. Le miroir lui renvoya le reflet de ses larges yeux gris et de sa bouche joliment dessinée. Comme à son habitude, Eve s'appliquait à présenter un visage soigné, surtout à un étranger dont elle redoutait la première impression.

Elle était vêtue avec une élégance discrète en accord avec la simplicité de son caractère. Elle se trouvait tout à fait présentable ; un peu petite pour la mode actuelle, mais délicate comme une porcelaine. Néanmoins, le jour était mal choisi pour s'occuper de son apparence. Elle devait se concentrer sur Ray Halpern afin d'exécuter du bon travail.

Lorsqu'elle revint dans le studio, il l'attendait, prêt à commencer.

Pendant une heure et demie, son métier de reporter l'accapara tout entière. Incontestablement, Ray avait du métier. Il était à peu près inutile de corriger ses poses, il allait au-devant de ses désirs. Son visage mobile et expressif, son corps musclé et élégant, symbolisaient à merveille l'image de l'homme dont toutes les femmes rêvent. Il était à la fois viril et sensuel, charmeur et intelligent. Derrière son objectif, Eve se surprit plusieurs fois à l'admirer en toute sincérité.

Lorsqu'elle eut terminé la dernière pellicule, elle posa son appareil.

— Vous devez être fatigué.

Ray traversa la pièce, le sourire aux lèvres. Sous la chaleur des projecteurs, ses cheveux légèrement humides frisottaient sur les tempes.

— Je suis aussi épuisé que vous, plaisanta-t-il. Que diriez-vous de faire une pause et d'aller déjeuner ?

Il posa gentiment sa main sur son épaule et Eve frissonna.

— Les mannequins ont-ils le droit de déjeuner ? En tout cas, la photographe meurt de faim. Choisissez l'endroit et je vous suis.

— Dans ce cas, j'opte pour Vito's. C'est le meilleur restaurant italien de New York et à deux pas d'ici.

Un instant plus tard, ils étaient assis devant une table coquette, ornée de bougies. Après avoir longuement consulté le menu, Eve s'était décidée pour un plantureux plat de lasagnes, sachant fort bien que rien ne parvenait à la faire grossir.

— Je prendrai un bol de minestrone et une salade, déclara Ray lorsque la serveuse vint prendre leur commande.

Eve écarquilla les yeux, incrédule. Cet athlète

d'un mètre quatre-vingt-dix se nourrissait-il comme un oiseau ?

— Etes-vous certain de ne pas vous étouffer avec ce plantureux repas ? s'exclama-t-elle en riant.

— Cela n'a rien de drôle. Je meurs de faim ! Mais, avec les vérifications quotidiennes de Virginia, impossible d'échapper au régime. D'autre part, je préfère m'offrir un copieux repas le soir et déjeuner légèrement.

Il la regarda gentiment et, posant sa main sur la sienne, il ajouta :

— Je vous envie de rester si mince, tout en dévorant comme une sauvage.

La jeune fille n'osa plus faire un geste. Le brouhaha du restaurant lui parvenait à travers du coton. Les doigts de Ray emprisonnant les siens la bouleversaient et lui faisaient perdre la tête. Lorsque la serveuse apporta les plats, elle lui en fut presque reconnaissante ; elle retrouva son sang-froid.

Pourquoi Ray Halpern avait-il choisi ce métier ? Certes, la région du Vermont où les siens vivaient était désertique, rocheuse, peu cultivable, et on n'y trouvait aucun débouché. Ray avala rapidement son sommaire déjeuner tout en lui racontant mille anecdotes sur son enfance. Eve aurait aimé prolonger leur conversation mais un coup d'œil sur sa montre la rappela à son devoir.

— Je crois que nous devrions rentrer. J'ai encore beaucoup de plans à exécuter.

— C'est entendu, dit-il en présentant sa carte de crédit à la serveuse.

— Mais...

— Permettez-moi de vous inviter, déclara-t-il, péremptoire.

12

La lueur autoritaire qui brillait dans les yeux de son compagnon la découragea d'insister.

De retour au studio, ils reprirent leur travail. L'après-midi s'écoula aussi vite que la matinée. Vers cinq heures, un coup léger fut frappé à la porte et un jeune homme brun passa la tête par l'entrebâillement.

— Désolé de vous interrompre, lança-t-il avec un sourire aimable.

— Bobby ! s'exclama Ray. Que fais-tu dans les parages ?

— Puis-je te parler un instant au sujet des prises de vue de demain ?

Interrogeant Eve des yeux, Ray s'excusa brièvement.

— Vous permettez ?

— J'ai presque terminé, cela ne me gêne pas, assura-t-elle en dévissant son objectif.

A vrai dire, la jeune fille était épuisée. Après avoir numéroté ses pellicules, elle les rangea dans sa sacoche avec son appareil. Du coin de l'œil, Eve aperçut les deux hommes installés sur des chaises et discutant avec animation. L'intrusion de Bobby la navrait mais l'important était d'avoir réussi un splendide reportage.

— Eh bien, murmura-t-elle à regret en s'approchant d'eux, je vais vous laisser. Merci, Ray, pour votre collaboration. Nous nous reverrons, bien sûr.

A peine eut-elle formulé ces mots qu'Eve se mordit la langue. Ce n'était pas à elle de proposer une nouvelle rencontre ! Décidément, Ray l'avait fascinée et lui avait fait perdre ses bonnes manières. Elle était sous l'emprise de son charme qui, pour un peu, l'aurait jetée dans ses bras. Rien de sérieux, évidemment ! Eve se défendait d'être amoureuse ! En y réfléchissant bien, une solide amitié solderait peut-être le travail de cette journée ?

Les deux hommes se levèrent pour prendre congé. Ray la raccompagna jusqu'à la porte, puis il revint vers son ami pour continuer leur discussion.

Eve eut l'impression qu'il l'avait enveloppée d'un regard brûlant. Mais, là encore, elle devait se faire des illusions.

Chapitre 2

EVE REGAGNA SON APPARTEMENT, PETIT MAIS CONFOR-
table, et commença par prendre un bain chaud pour
se délasser. Ensuite, elle se versa un verre de vin et
découvrit avec déception que son réfrigérateur était
vide. Il ne lui restait plus qu'à décrocher son
téléphone pour appeler Penny. Son amie habitait à
l'étage au-dessus et, avec un peu de chance, avait
peut-être une tranche de jambon et quelques œufs à
partager.

C'était le cas.

Penny n'était guère plus grande qu'Eve, mais elle
portait des cheveux bruns et courts. Vive, curieuse,
explosive, Penny était le contraire d'une personne
lymphatique. Sans doute était-ce pour son enthousiasme qu'Eve l'aimait tant.

Elles dînèrent, assises sur la moquette du living.
Eve ouvrait la bouche pour lui raconter son haras-
sante journée, lorsqu'elle leva soudain les bras au
ciel.

— Ça alors ! C'est incroyable !

— De quoi parles-tu ?

Eve désigna la revue *Monsieur* qu'elle était en train de feuilleter.

— Eh bien, regarde !

Plusieurs photos de Ray illustraient le magazine. Penny se pencha et laissa échapper un léger sifflement admiratif.

— Eve, qui est-ce ? Il est magnifique.

— N'est-ce pas ? C'est justement le mannequin avec lequel j'ai travaillé aujourd'hui et dont je voulais te parler.

A la vérité, c'était surtout l'envie de discuter de Ray qui l'avait incitée à venir dîner chez son amie ! Cette journée avait été épuisante ; elle avait besoin d'une bonne nuit de sommeil mais pas avant d'avoir obtenu l'avis d'un témoin pour éclaircir ses pensées. Jamais la jeune fille ne s'était sentie aussi bien avec un homme. Elle avait l'impression de connaître Ray depuis toujours. Pourtant, elle se méfiait de son imagination qui l'emportait trop vite et trop loin.

Elle raconta leur rencontre à son amie en des termes chaleureux.

— Je me doutais bien, conclut-elle, que j'avais tiré le gros lot, mais je n'imaginais pas qu'il pouvait être si célèbre.

Trois pages du magazine lui étaient consacrées. Elle regarda attentivement ce visage qu'elle avait eu le temps d'étudier au cours de la journée. Relevant la tête, la jeune fille chercha un assentiment dans le regard de son amie.

— C'est un peu récent pour te faire une opinion, déclara Penny.

Eve poussa un soupir.

— Assurément, tu as raison.

Une nouvelle idée lui traversa l'esprit : Ray était issu d'une famille de fermiers. Les photos sophistiquées qu'elle avait prises ne montraient pas son visage authentique. Vêtu avec moins de recherche, il serait encore plus fantastique. Mais, accepterait-il de poser ainsi ? Evidemment, elle devait reprendre son reportage sous un autre angle et envisager un autre rendez-vous. La voix de Penny la fit sursauter.

— A mon avis, Ray Halpern est follement séduisant, mais c'est bien le moins pour un mannequin.

Eve répondit, étonnée :

— Que veux-tu dire ?

Penny haussa les épaules.

— Tu ne connais rien de sa vie privée.

— Bien entendu !

— De plus, continua Penny paisiblement, il évolue dans un milieu assez spécial. Tu ne peux le nier, n'est-ce pas ?

Eve fronça les sourcils. Où Penny voulait-elle en venir ?

— Dis-moi, Penny, aurais-tu des préjugés sur le monde de la mode ? Le métier de mannequin n'est pas exclusivement l'apanage des femmes !

La jeune fille s'interrompit. Phil lui avait tenu un langage à peu près identique, en plus péjoratif.

Penny se mit à rire et passa ses doigts dans ses cheveux courts.

— Miséricorde, Eve ! Ne monte pas sur tes grands chevaux ! La profession de Ray Halpern est tout à fait respectable. Néanmoins, ne sois pas trop naïve, pour ton bien, ma chérie.

Eve devint cramoisie. Elle ne se doutait pas que ses sentiments se lisaient si aisément sur son visage. Pliant nerveusement la revue, la jeune fille se redressa et traversa lentement la pièce.

— Rassure-toi, je garde la tête froide.

— Tant mieux, répondit son amie.

De toute évidence, elle n'en croyait pas un mot et son sourire irrita Eve qui prit rapidement congé.

De retour dans son appartement, elle se déshabilla hâtivement et se glissa dans son lit. En dépit de sa fatigue, le sommeil ne vint pas tout de suite. Sa conversation avec Penny lui laissait un goût amer. Par ignorance ou par bêtise, les gens se faisaient une fausse idée de la vie des mannequins. Les insinuations de Penny n'étaient que trop évidentes. Fugace, la vision de Bobby passant la tête par l'entrebâillement de la porte lui revint en mémoire. Certes, Bobby avait un visage très fin et une silhouette à la mode. En fait, il correspondait aux critères exigés dans son métier. Ray était plus naturel. Eve enfouit son visage dans l'oreiller en s'efforçant de penser à son travail, aux photos qu'il restait à prendre et à la camaraderie qui pourrait naître entre eux.

Les jours suivants, Eve Forsythe ne songea qu'à sa carrière. Son reportage promettait d'être fabuleux. Tous les atouts étaient réunis pour sa réussite. Le prochain rendez-vous avait été fixé avec Ray Halpern et elle n'avait pas de temps à perdre en vaines divagations.

Si, pendant quelques heures, le rêve avait pris le pas sur la réalité, maintenant Eve se sentait tout à fait prête à affronter leur prochaine rencontre sans s'emballer comme la première fois. Ray était un collaborateur sympathique et séduisant, il ferait un ami idéal.

Aussi, le matin de leur rendez-vous, Eve se levat-elle parfaitement sereine. Bien sûr, Penny s'était montrée malveillante, mais elle lui avait ouvert les yeux : elle s'était conduite comme une sotte, peut-être parce qu'elle se sentait un peu seule.

Jusqu'à présent, Darrell, son chevalier servant qui la pilotait depuis près d'un an dans New York, lui avait paru un compagnon agréable. Toutefois, elle n'éprouvait pour lui aucun sentiment profond. Ils n'avaient ni les mêmes goûts, ni les mêmes opinions. Romantique et sentimentale comme elle l'était jamais elle n'épouserait un homme qui ne correspondrait pas exactement à son attente.

Eve enfila une robe turquoise serrée à la taille par une large ceinture de cuir marine soulignant sa sveltesse. Voilà l'avantage d'être aussi menue : n'importe quel vêtement lui allait à merveille. Il suffisait de choisir des sandales à hauts talons pour gagner quelques centimètres. Devant son miroir, la jeune fille se trouva follement élégante... Sûrement trop pour une simple journée de travail. Elle hésita un instant mais elle n'avait plus le temps de se changer.

Après s'être emparée de son lourd matériel de photo qui jurait évidemment avec sa tenue, Eve se retrouva dans la rue ensoleillée. L'hiver se terminait et ces premiers jours de printemps incitaient les New-Yorkais à sortir leurs blazers et leurs tailleurs.

Comme il faisait décidément trop beau pour s'enfermer dans le métro, Eve héla un taxi.

Ray l'attendait déjà devant l'agence. Il était arrivé en avance et elle apprécia ce détail. Galamment, il vint lui tenir la portière pendant qu'elle réglait sa course.

— Eve, comment allez-vous ? dit-il en la débarrassant de son matériel.

— Bonjour Ray, je suis peut-être en retard ?

— Du tout.

Il était vêtu d'un pantalon de velours marron et d'une veste de même couleur. Sous sa chemise bleue à col ouvert, il portait un foulard de soie blanche qui faisait ressortir son hâle. Lui aussi aurait pu enfiler n'importe quoi sans cesser d'être élégant.

— Où allons-nous ? demanda-t-il gaiement en lui prenant amicalement la main. Dans le parc ?

Eve était ravie. Il avait dû lire dans ses pensées.

— Oui, nous pourrions faire des extérieurs.

— Central Park ?

— C'est d'accord, allons-y.

Un quart d'heure plus tard, ils marchaient dans une large allée bordée d'érables dont les premières feuilles commençaient à peine à se montrer. Les pelouses d'un vert tendre faisaient oublier l'agitation de l'immense ville. Le dépaysement était total. Comme d'habitude, Ray se montra volubile et enjoué. Cette fois, Eve osa l'interroger sur les raisons de sa présence à New York.

— Quand j'avais dix-huit ans, commença-t-il, je ne songeais guère à exercer ce métier. Mais, comme vous vous en doutez, ma famille n'était pas très aisée. Elle venait de traverser deux années particulièrement difficiles et, étant l'aîné, je me suis senti responsable. Or, un jour, en parcourant le *Sunday Times*, l'idée de devenir mannequin me traversa l'esprit. Tout le monde s'accordait à dire que j'avais un physique, disons, agréable.

Ray se mit à rire devant son propre aveu et jeta sur Eve un regard désarmant.

— Bien entendu, reprit-il, ma suggestion ne fut guère appréciée des miens. Mon père avait des notions plus que sommaires sur ce métier et il me voyait déjà avec des cheveux teints et du vernis sur les ongles !

Eve étouffa un soupir. Quel dommage que Penny ne soit pas là pour l'entendre ! Son amie avait autant de préjugés stupides qu'un fermier du Vermont.

Ray s'éclaircit la gorge avant de continuer.

— Ce fut la mort de mon père, à la suite d'un tragique accident causé par son tracteur, qui décida de tout. Il me fallut à tout prix gagner de l'argent et m'expatrier car dans notre région on ne trouve guère d'emplois. Je partis donc pour New York et, après avoir tenté ma chance auprès de quelques agences, je finis par être engagé chez Virginia Stein. Peu après, mes photos étaient vendues dans le monde entier.

Ils étaient arrivés devant le zoo où ils s'arrêtèrent un instant. Nostalgique, la jeune fille suivit des yeux les spécimens de la faune africaine. Ces superbes bêtes avaient perdu leur liberté pour se montrer à la curiosité humaine. Les hommes, qui étaient responsables de leur destinée, étaient-ils tellement plus libres ?

Eve songea brièvement à son enfance protégée et privilégiée. Elle aurait aimé en parler à son tour à Ray, lui raconter la décision qui l'avait incitée à tout abandonner pour trouver ici un métier aléatoire ! Il aurait été agréable de s'asseoir par cette belle matinée ensoleillée. Malheureusement, ils n'étaient pas là pour discuter de leurs rêves respectifs, mais pour travailler.

— Commençons, déclara-t-elle, avec un soupir.

Derechef, Ray se prêta docilement à toutes les poses. Les pelouses, les massifs, les arbres, les rochers formaient un décor exceptionnel pour mettre en valeur sa haute silhouette. Dans ce cadre poétique, Ray Halpern offrait un mélange d'élégance et de force tout à fait remarquable.

Vers une heure, Eve eut de sérieuses crampes à

l'estomac. L'infatigable Ray dut, de nouveau, deviner ses pensées car il lança gaiement :

— Comment aimez-vous les hot dogs ?

— Avec de la moutarde.

Tandis qu'elle rangeait son appareil, Ray s'éloigna en direction d'un snack-bar. Lorsqu'il revint, il rapportait un plateau garni de frites, de hot dogs et de Coca-Cola.

Ils s'installèrent sur un banc pour dévorer leur festin. Pensant aux exigences de Virginia, Eve s'exclama :

— Vous n'allez pas manger tout ce pain ?

— Vous croyez, dit-il en relevant les sourcils. Eh bien, regardez !

En quatre bouchées géantes, Ray lui fit un sort et, comme la jeune fille écarquillait les yeux, il décréta, moqueur :

— Je ne suis pas un saint. Passe encore avec la cuisine italienne, mais impossible de résister devant les hot dogs ! Surtout en plein air !

Il posa ses doigts sur ses lèvres pour envoyer un baiser au ciel et, ingénument, Eve se demanda s'il ne lui était pas un peu destiné.

Leur sommaire repas achevé, elle compta ses bobines et décréta que les prises de vue étaient terminées pour la journée.

— Allons nous promener, proposa Ray. Nous l'avons bien mérité.

Central Park n'avait aucun secret pour lui et il l'entraîna dans tous les sentiers. Leur conversation roula sur leur métier et Eve put enfin lui raconter les difficultés rencontrées à ses débuts. Comme un certain découragement perçait dans sa voix, il l'interrompit.

— Ne vous faites aucun souci, vous avez sûrement du talent et il est évident que vous êtes une professionnelle, maintenant.

A son tour, il lui décrivit les impératifs de la vie d'un mannequin et maintes anecdotes concernant ses collègues. Il parla de ses amis en des termes simples et chaleureux.

— J'ai vu quelques photos de vous dans *Monsieur,* lui dit-elle, soudain.

— Il est difficile d'être publié dans cette revue.

— Vraiment ?

Ray hocha la tête sans répondre et Eve lâcha étourdiment :

— Avez-vous des relations qui vous ont aidé ?

Une expression un peu étonnée se peignit sur le visage de son compagnon et Eve regretta cette question maladroite.

— Que voulez-vous dire ? insista-t-il.

Eve se mordit les lèvres.

— L'on prétend que certains appuis sont nécessaires pour travailler dans ce magazine.

Ray haussa les épaules. Sa bouche eut un pli un peu désabusé et, après quelques secondes de silence, il grommela d'un ton méprisant :

— Alors, si on le prétend vraiment ! Que puis-je vous révéler de plus ?

Eve enfonça ses mains dans les poches de sa veste. Elle se haïssait. Comment avait-elle pu émettre une suggestion aussi mesquine et se faire l'écho des racontars ?

Ray lui jeta un coup d'œil dc biais, mi-fâché, mi-déçu.

— Mon père aurait parlé comme vous, lança-t-il ironiquement.

Eve devint cramoisie.

— Je... je ne voulais pas...

— Allons, Eve, ne vous excusez pas, voyons ! Rien n'est pire que l'hypocrisie. Vous avez parfaitement le droit d'avoir votre opinion sur ces problèmes.

Complètement désorientée, Eve aurait voulu expliquer qu'au contraire elle n'avait aucune idée préconçue ! Mais les pensées se bousculaient dans sa tête et elle ne trouva pas les mots. Un silence tomba. Il lui sembla que le soleil s'était terni et que le parc avait subitement perdu son charme. Ray lui en voulait, c'était sûr. Machinalement, Eve avait formulé des lieux communs tout juste bons à alimenter une conversation mondaine et superficielle.

Ils continuèrent à marcher. Ray regardait droit devant lui. Apparemment, il avait retrouvé sa bonne humeur et oublié la question.

Lorsqu'ils arrivèrent à la sortie, il se tourna vers elle.

— Je pense que maintenant vous avez à faire et, moi, je dois regagner l'agence.

— Oui, en effet, balbutia-t-elle, la gorge nouée. Ouvrant son sac, Eve prit une carte de visite et la lui tendit.

— Téléphonez-moi, Ray, je vous montrerai les épreuves. J'ai beaucoup aimé cette journée, merci.

Ray plaça la carte dans son portefeuille ; sans se départir de son sourire, il lui donna la sienne en échange.

— Vous pouvez me joindre chez moi. Moi aussi, j'ai apprécié notre collaboration. Je regrette que le travail ne soit pas plus souvent aussi agréable. Ne vous inquiétez de rien, mon chou, nous nous reverrons bientôt.

Sa main effleura gentiment sa joue et, après un dernier signe amical, il tourna les talons en direction de l'autobus.

Eve demeura un moment immobile. Son cœur cognait dans sa poitrine. Malgré le pressentiment de ne pas le revoir de sitôt, elle se réconforta en pensant à la petite carte de visite. Elle savait désormais où le joindre sans passer par l'agence de Virginia Stein. Peut-être leurs chemins se croiseraient-ils de nouveau pour lui offrir l'occasion de réparer sa bévue.

Oui, si Ray Halpern téléphonait, Eve serait libre.

Durant les jours suivants, la jeune fille n'eut pas l'occasion de trop songer à Ray. Un nouveau reportage lui fut confié, concernant les clubs de musique rock et principalement les groupes punks. Quoique n'étant pas une inconditionnelle de ces rythmes, Eve prit grand plaisir à interviewer cette nouvelle génération qui s'obstinait à s'enlaidir volontairement. Leur comportement la déroutait au début, mais après plusieurs conversations elle comprit la démarche profonde qui se cachait derrière leur façade excentrique et elle les trouva sympathiques.

A la fin de la semaine, en rentrant de sa dernière interview, Eve découvrit une grande enveloppe brune qui dépassait de sa boîte aux lettres. Les photos ! Enfin, le développement était arrivé ! Incapable d'attendre l'ascenseur, elle gravit l'escalier quatre à quatre pour regagner plus rapidement son appartement. Sans prendre la peine d'ôter sa veste, elle s'installa à son bureau tout en ouvrant le précieux envoi. Le souffle coupé, elle vit apparaître alors des centaines de Ray sous des angles tous meilleurs les uns que les autres. Jamais, dans ses rêves les plus secrets, Eve n'aurait osé souhaiter plus éclatante réussite. Ray se révélait fabuleusement photogénique. Maintenant, il ne lui restait plus qu'à choisir ses meilleures expressions.

Tard dans la soirée, Penny passa la voir. En étudiant la collection de clichés, elle montra un enthousiasme sincère. Elle exerçait également le métier de journaliste et son œil avisé ne trouva pas le moindre défaut à ces prises de vue.

— Bravo! Avec ces photos dans ton press-book, tu peux prétendre à n'importe quelle proposition. Elles sont vraiment bonnes.

Le compliment, venant d'une professionnelle, lui fit réellement plaisir. Penny était plutôt avare en matière de louanges.

— Merci, Penny. Mais tu sais, le modèle avec lequel j'ai travaillé y est aussi pour quelque chose.

— Je m'en aperçois et je dois lui rendre justice.

Tout à coup, Penny se mit à battre des mains.

— Ecoute, j'ai une idée! Je viens de décrocher moi-même un reportage que j'attendais depuis longtemps. Pourquoi ne pas fêter nos deux réussites? Organisons ensemble une petite réunion, ainsi cela nous donnera moins de travail. Qu'en penses-tu?

— Génial! acquiesça Eve. Nous pourrions la prévoir dans deux semaines. Nous inviterons chacune tous nos amis. Je te propose mon appartement, il est un peu plus grand que le tien. Voyons, nous servirons un buffet de hors-d'œuvre accompagnés d'un vin de Californie et, un peu plus tard, nous pourrions faire une soupe à l'oignon?

— Parfait!

Excitée, Penny s'empara sur-le-champ d'un papier et d'un stylo.

— Qu'attendons-nous? Dressons tout de suite la liste de nos invités. Qui souhaites-tu recevoir?

Lorsqu'elles eurent inscrit une bonne cinquantaine de noms, Penny leva la tête.

— N'oublie tout de même pas de faire signe à Darrell.

— Ah oui, c'est vrai! soupira Eve, emplie d'un sentiment de culpabilité.

Depuis quelque temps, elle se souciait de son ami comme d'une guigne. Bien sûr, la jeune fille n'avait aucun reproche à lui faire, mais en toute honnêteté il lui était totalement sorti de la tête.

— Et Ray Halpern? souligna Penny en lui jetant un regard interrogateur.

Eve tressaillit. Voici un moment qu'elle y songeait.

— Ecoute, reprit Penny, nous ne pouvons pas écarter quelqu'un qui est aussi responsable de ton succès. Tu dois le convier à cette petite fête.

Une légère hésitation se peignit sur le visage d'Eve.

— Je ne sais pas. Après tout, Ray est devenu extrêmement célèbre et j'ignore s'il ne trouvera pas ridicule notre réception.

Le crayon de Penny demeura en l'air.

— D'un autre côté, reprit Eve, nous sommes bons amis et j'aimerais qu'il voie ses photos.

— Alors, je le note?

Evidemment! eut envie de crier la jeune fille.

Eve prit cependant tout son temps pour répondre. Pour rien au monde elle ne tenait à ce que Penny devine son émoi. Dieu sait encore ce que son amie insinuerait.

— Entendu, déclara-t-elle, désinvolte. Nous pouvons inclure Ray Halpern.

Chapitre 3

EVE ADMIRAIT SON IMAGE DEVANT LE VIEUX MIROIR romantique. Elle avait accordé du temps à sa toilette et sa robe d'hôtesse en soie gris perle était une trouvaille. Le tissu satiné s'harmonisait avec la couleur de ses yeux. Lorsqu'elle avait essayé cette robe dans le magasin, la jeune fille avait hésité à l'acheter pour cette réception, craignant de paraître trop habillée. Mais elle n'avait pu résister à la tentation.

D'ailleurs, en incitant Penny à recevoir leurs amis en robe longue, elle avait résolu son problème. Après tout, n'étaient-elles pas les maîtresses de maison ? Il était grand temps de se familiariser avec des soirées un peu plus formelles.

Penny avait accepté avec enthousiasme et elle avait déniché une ravissante tunique indienne. En y réfléchissant bien, Eve se demanda si cette soudaine coquetterie ne s'appelait pas Ray Halpern.

Elle s'approcha de la glace et vérifia sa coiffure. Ses cheveux avaient été coupés très légèrement et maintenant ils gonflaient autour de son visage à peine maquillé.

Après un petit soupir de contentement, Eve enfila de fines sandales en lamé argent. A cet instant, la sonnette de la porte d'entrée résonna et la jeune fille courut ouvrir.

Penny se tenait sur le seuil, les bras chargés de vaisselle.

— Entre vite, je vais t'aider.

— J'ai pensé que nous risquions de manquer de verres et de tasses à café, déclara Penny en disposant le tout sur le buffet.

Puis, pivotant sur ses talons, elle inspecta la longue table parfaitement agencée. Il y avait de tout : des salades, des sandwiches, des petits fours et une quantité impressionnante de boissons diverses.

— C'est une bonne idée d'avoir pensé aux fleurs, dit-elle en effleurant les fragiles pétales des roses jaunes qui ornaient une commode.

Puis, se tournant vers la maîtresse des lieux, elle ajouta :

— Tu es magnifique !

— Tu n'as rien à m'envier, Penny, cette robe semble avoir été faite pour toi !

— Nous sommes toutes les deux superbes ! Maintenant, il nous reste à attendre nos invités. C'est ce qu'il y a de plus assommant.

La sonnerie du téléphone les interrompit. Eve se précipita sur l'appareil.

— Allô, Eve ? entendit-elle à son oreille.

C'était la voix de Ray. Miséricorde, allait-il se décommander ? Elle lui avait envoyé un tirage de toutes ses photos en même temps que son invitation. Peut-être venait-il d'avoir un empêchement imprévu ?

— Bonsoir, Ray, balbutia-t-elle. Vous avez bien reçu vos photos, j'espère ?

— Mais oui, affirma-t-il en riant. Je n'ai pas eu l'occasion de vous féliciter de vive voix. Elles sont superbes ! Mais dites-moi, avez-vous déjà oublié que vous m'avez invité ce soir ?

— Bien sûr que non, nous vous attendons.

— Ecoutez, je suis désolé, mais puis-je venir accompagné ? J'ai noté votre invitation mais, hélas, j'ai omis d'inscrire un engagement antérieur. Je reconnais que ce n'est pas très élégant de ma part, mais...

Il laissa sa phrase en suspens. Eve ressentit un léger désappointement, néanmoins elle recouvra rapidement ses esprits.

— C'est entendu Ray, venez tous les deux.

— Alors, à tout de suite.

Avant de raccrocher, la jeune fille eut le temps de dire très vite :

— Je suis impatiente de vous revoir.

C'était la stricte vérité. L'essentiel était qu'il assiste à cette soirée, après tout. Toutefois, une once de jalousie lui vrilla le ventre. Qui pouvait donc être la personne en question ? Peut-être une femme à laquelle il tenait beaucoup ?

Voyant sa mine assombrie, Penny s'informa.

— Que se passe-t-il, ma chère ?

Eve lui répéta la conversation et Penny haussa les épaules.

— Bah ! Peut-être s'agit-il de ce Bobby que tu as rencontré à l'agence. Il semblait être de ses amis, non ?

30

Cette suggestion ne lui était vraiment pas venue à l'esprit et elle ouvrit des yeux énormes.

— Quelle drôle d'idée ! Pourquoi Ray s'encombrerait-il d'un camarade pour cette réception ?

Penny fixa le bout de ses ongles avec une insistance suspecte.

— D'ailleurs, reprit Eve en fronçant les sourcils, je ne me souviens pas de t'avoir parlé de Bobby.

— Mais si.

— Eh bien, puisque tu le dis ! grommela-t-elle avec impatience.

Penny abandonna l'inspection de ses doigts et fixa son amie dans les yeux.

— Je crains que tu ne te fasses des illusions sur la vie des hommes qui gravitent dans le milieu de la mode ; tu connais leur réputation.

Cette fois, l'allusion était claire. Eve en demeura suffoquée.

— Penny ! Comment oses-tu ? commença-t-elle indignée.

Quelqu'un sonnait à la porte et la discussion fut close. Pendant la demi-heure suivante, les deux jeunes filles furent trop occupées à accueillir leurs invités pour épiloguer sur ce problème épineux. A tour de rôle, elles allaient ouvrir puis elles offraient des boissons et des coupes de fruits rafraîchis ou elles passaient les assiettes pour les salades.

La réception battait son plein. Presque tous les invités étaient des intimes et, lorsque Phil arriva, il gratifia Eve d'un cordial :

— Bonsoir à notre nouvelle vedette !

Il était enchanté du reportage et lui avait même donné une place de faveur dans la revue. Partageant l'avis de Penny, Phil lui avait affirmé que ses photos étaient dignes de figurer dans son press-book.

— Mon cher Phil, j'ai pratiquement doublé tous les plats lorsque j'ai su que vous veniez.

L'énorme appétit de son rédacteur en chef était légendaire.

— Brave fille ! rétorqua-t-il avec bonhomie en lui pinçant amicalement la joue.

Après l'arrivée de Phil, la sonnette de la porte d'entrée cessa de carillonner pendant quelques instants. La jeune fille put bavarder avec ses amis. Mais son esprit n'était pas en repos ; elle tendait l'oreille, impatiente de voir arriver Ray et elle ne cessait de regarder sa montre à la dérobée. Rongée de curiosité, elle était sur des charbons ardents. Quelle était cette personne qui devait l'accompagner ? Il était facile d'imaginer le coup d'œil narquois que ne manquerait pas de lui lancer Penny au cas où il viendrait avec Bobby. Et, quand bien même ce serait lui, sa présence ne justifierait nullement ces ragots insupportables !

Le petit appartement était plein. Elle se demanda si la chambre suffirait pour danser. Les meubles avaient été repoussés contre les murs et, à moins de les empiler, on ne pouvait rien faire de plus.

Darrell, arrivé dans les premiers, cherchait de toute évidence à lui parler. De taille moyenne, brun, le visage ouvert, son ami méritait-il qu'elle le négligeât ainsi ?

Elle le rejoignit en souriant.

— Eve, voici un temps fou que nous ne nous sommes vus ! J'espère que votre travail vous laissera un peu plus de répit, maintenant.

— Oui, bien sûr, dit-elle machinalement.

En son for intérieur, elle dut s'avouer que, si elle n'avait pas trouvé un moment à lui accorder, le travail avait fourni un fameux prétexte !

— Que penseriez-vous de dîner ensemble la semaine prochaine ? commença-t-il.

Eve sursauta. La sonnette retentissait de nouveau.

— Darrell, veuillez m'excuser...

Elle vola littéralement vers la porte. Ce ne pouvait être que Ray, son cœur se mit à cogner dans sa poitrine. Elle ne s'était pas trompée : Ray se tenait dans l'encadrement de la porte. Quelle folie d'éprouver tant de nervosité en lui tendant la main !

— Ray, entrez vite. Je suis contente que vous ayez pu venir.

Il ignora son geste et se pencha pour l'embrasser sur la joue. Eve devint cramoisie.

— C'est bon de vous revoir, Eve. Permettez-moi de vous présenter mon amie.

La jeune fille se retourna. Une superbe jeune femme brune l'accompagnait.

— Lois, voici Eve Forsythe, notre hôtesse.

— Enchantée, balbutia Eve.

— Comment allez-vous ? murmura Lois du bout des lèvres.

— Je vous en prie, entrez et faites comme chez vous.

En dépit de ces formules conventionnelles, Eve se sentait profondément abattue. De quel droit détestait-elle cette femme trop belle ? Ray était libre de choisir ses amis et il avait très bon goût.

Après avoir présenté Ray et Lois à quelques invités, elle se trouva de nouveau happée par ses amis. Mais, tout en bavardant, elle continua malgré elle à les guetter du coin de l'œil.

Phil avait reconnu le mannequin et, maintenant, tous deux parlaient avec animation. Jamais Ray n'avait été aussi séduisant. Avec son costume de gabardine beige de coupe impeccable, assurément il était le plus bel homme de la soirée. Quant à Lois, elle avait retrouvé quelques connaissances, et s'était éloignée de son compagnon. Eve en ressentit un bienheureux soulagement. De toute évidence, la jeune femme ne se comportait pas en amoureuse et Ray ne semblait pas davantage lui accorder une importance démesurée.

Eve se servit un verre de vin et commença à se détendre. Force lui était d'admettre que Ray l'intéressait plus qu'il n'aurait dû. La jalousie qu'elle venait d'éprouver manquait de la plus élémentaire logique.

Eve !

La jeune fille tressaillit en entendant son nom lancé par une voix irritée.

Darrell la regardait, une lueur exaspérée dans les yeux.

— Voici trois fois que je vous parle, mais vous n'écoutez pas un traître mot de ce que je vous dis.

— Mais si...

Elle leva vers lui un visage candide, puis, à tout hasard, enchaîna sur son sujet favori.

— Vous me parliez de votre future croisière, n'est-ce pas ? Vraiment, Darrell, vous me voyez désolée, mais je m'inquiète toujours pour mes invités. Je crains sans cesse d'avoir oublié quelque chose.

Par miracle, le jeune homme la crut. Il lui entoura les épaules d'un geste protecteur.

— Rassurez-vous, mon chou, tout est parfait. Vous voyez bien que tout le monde s'amuse.

Il avait raison. Toutefois, elle ne pouvait pas lui dire que sa plus grande préoccupation s'appelait Ray Halpern. La jeune fille s'efforça de le chasser de son esprit pour bavarder un peu avec Darrell. Ensuite, en parfaite maîtresse de maison, elle le quitta pour circuler parmi ses amis. Elle s'occupa des uns et des autres, essayant de trouver un mot gentil pour chacun.

Penny mit un disque et quelques couples se formèrent. Le cœur battant, elle aperçut Ray qui s'avançait vers elle.

— Voulez-vous m'accorder cette danse ? dit-il en s'inclinant.

Sans attendre sa réponse, il lui offrit son bras et l'entraîna à travers la pièce, ce qui ne fut pas une petite affaire. Danser dans la chambre bondée les obligeait à un contact très intime. Ray entoura sa taille et la serra contre lui.

— C'est bon de se revoir, chuchota-t-il.

Leurs regards se croisèrent. Un petit sourire sensuel flottait sur les lèvres de son cavalier et, comme Eve ne trouvait rien à répondre, il eut un rire de gorge et resserra son étreinte. Eve se contenta d'écouter la douce et romantique chanson d'amour sur laquelle ils évoluaient. Ray, les yeux mi-clos, se mit à fredonner doucement. Envoûtée, elle s'abandonna complètement entre ses bras et appuya sa joue contre son épaule. Elle pouvait sentir son souffle dans ses cheveux et sa main chaude qui se posait sur ses épaules nues. Pendant quelques minutes, ils ne firent plus qu'un. Lorsque, pour exécuter une figure, il l'éloigna de lui un instant, la jeune fille ressentit un véritable arrachement. Elle revint avec bonheur se blottir contre lui. Jamais cet instant ne serait oublié. Cédant à un véritable vertige, elle prit conscience de l'attirance physique qu'elle éprouvait pour cet homme. Les yeux fermés, elle se laissait aller à ce rêve enchanteur. Autour d'eux, les invités cessèrent d'exister.

Le bruit feutré du saphir glissant sur le dernier sillon du disque la rappela à la réalité. Le songe était bel et bien terminé. Lorsqu'elle releva les paupières, ce fut pour découvrir quelques regards amusés posés sur eux. Entre autres, celui de Lois. Miséricorde, s'était-elle donnée en spectacle en dansant avec Ray comme s'il était son amoureux ? Horriblement gênée, elle s'efforça de sourire et bredouilla avec une fausse désinvolture :

— Vous dansez merveilleusement, Ray.

Ce dernier parut désemparé par cet aveu spontané.

— Je vous le dois, sans doute. Vous êtes aussi légère qu'un elfe.

Une brève bousculade acheva de les séparer et Eve se fit un devoir de retrouver ses vieux amis.

Vers minuit, les deux maîtresses de maison se retirèrent dans la cuisine pour préparer le souper prévu.

D'un commun accord, les jeunes femmes avaient opté pour du poulet froid et du rôti afin de simplifier le service. Tandis qu'Eve achevait de préparer son taboulé, Penny lança, satisfaite :

— Je crois que tout le monde est content, qu'en penses-tu ?

— Oui, la soirée est réussie.

Perspicace, Penny remarqua l'expression tendue sur le visage de son amie.

— Quelque chose ne va pas ? Tu as ta tête des mauvais jours.

Eve frémit. Sa gêne était-elle donc tellement visible ? Cette réunion était illuminée par la présence de Ray Halpern et, en même temps, c'était un véritable enfer de ne pouvoir rester en tête à tête avec lui. Rétrospectivement, elle regrettait amèrement que leurs deux jours de reportage soient déjà du passé ! Elle aurait aimé pouvoir les vivre à nouveau et profiter de ces heures où ils s'étaient confié si peu de chose. Pour la première fois où ils se revoyaient hors du cadre professionnel, soixante personnes leur servaient de témoins ! Eve préféra éluder la question.

— Je me suis peut-être un peu trop énervée au début de la soirée. Il faut si peu de chose pour gâcher une ambiance.

— Ray Halpern et sa charmante cavalière, par exemple ? suggéra Penny pour la taquiner.

Eve la foudroya des yeux. Décidément, son amie la connaissait trop bien !

— Puisque tu parles de Ray, puis-je te faire remarquer qu'il n'est pas venu avec Bobby ? Maintenant, si tu le veux bien, nous en reparlerons plus tard.

S'emparant de son saladier, Eve se dirigea vers la porte, furieuse.

— Bon, bon, ne te fâche pas, soupira Penny.

Eve posa son plat de taboulé sur la table et s'esquiva dans la salle de bains. Elle avait bien besoin de se rafraîchir un peu et de rectifier son maquillage, depuis deux heures qu'elle était debout à s'occuper des uns et des autres. Approchant son visage du miroir, la jeune fille nota des cernes bleutés qui étaient apparus sous ses yeux. Après avoir brossé ses cheveux, remis une touche de rose sur ses lèvres et un nuage de poudre sur son nez, elle regagna le salon, fermement décidée à profiter de ses amis et à chasser ses sombres pensées.

Les invités firent honneur au souper froid qui

disparut en un clin d'œil. Eve et Penny étaient de bonnes cuisinières, mais elles n'avaient guère l'habitude de nourrir pareille assemblée.

— Félicitations pour vos talents de cordon bleu, entendit-elle derrière son épaule.

Ray la regardait en souriant.

— Au diable le régime ! J'ai tout mangé jusqu'à la dernière miette, continua-t-il.

— Oh ! Merci, Ray.

— Nous allons prendre une rapide tasse de café et nous retirer.

Eve ne trouva rien à répondre. Comme chaque fois, la présence de Ray à ses côtés la paralysait. Il dut percevoir son malaise, car il se fondit de nouveau parmi leurs hôtes.

Reprenant ses esprits, Eve constata qu'une autre tâche l'attendait : débarrasser la pièce des assiettes vides éparpillées çà et là. Il fallut les empiler, les emporter à la cuisine, préparer le café.

— Je n'ai eu le temps de parler à personne ! maugréa Penny lorsqu'elles se croisèrent dans la cuisine.

Cependant, elle restait enchantée de leur soirée. Une vraie réussite !

Après avoir fait circuler la cafetière, les tasses et le sucre, Eve chercha Ray des yeux. Il s'avança vers elle et posa une main sur son épaule.

— Eve, nous allons prendre congé.

Lois se tenait à ses côtés, aussi fraîche et rayonnante que trois heures plus tôt. C'était là le privilège des invités.

— Je vous raccompagne, dit Eve très vite.

Puis, découvrant qu'elle avait failli à tous ses devoirs en ne bavardant pas une seule fois avec l'amie de Ray, elle ajouta :

— Je suis vraiment désolée de vous avoir si peu vue.

Lois eut un sourire sibyllin.

— Nous aurons certainement l'occasion de nous rencontrer encore.

Bien sûr, ce n'était que de simples formules de politesse mais Eve avait un poids sur l'estomac. Ces paroles laissaient clairement sous-entendre que Ray et Lois ne se quittaient jamais. Visiblement, ils sortaient souvent ensemble et ils étaient très intimes.

Sur le seuil de la porte, Ray se pencha vers la jeune fille pour l'embrasser. Son baiser effleura furtivement le coin de ses lèvres.

— Nous avons passé une merveilleuse soirée, Eve, merci beaucoup.

A en juger par l'expression profonde qui se lisait dans ses yeux bleus, il était parfaitement sincère.

— Je suis contente que vous ayez pu venir tous les deux, répondit Eve, infiniment plus hypocrite.

— Je vous appellerai, dit-il en s'avançant vers l'ascenseur.

Elle en doutait. Lorsqu'ils eurent disparu, Eve referma la porte et poussa un soupir découragé. La vérité était que Ray Halpern avait un effet dévastateur sur elle ! Il connaissait par cœur les recettes pour charmer et séduire. Aussi fragile qu'une midinette, Eve était tombée dans le piège.

Et Lois, quelle profession exerçait-elle ? Ray n'avait fait aucune allusion à ce sujet. Sans doute était-elle sa tendre amie et cela suffisait.

Chapitre 4

EVE ACHEVA DE FEUILLETER SON PRESS-BOOK ET POUSSA un soupir satisfait. Enfin elle avait terminé, elle était morte de fatigue ! Les quatre derniers jours avaient été consacrés à choisir les photos, à les faire agrandir et à leur trouver une place adéquate dans son livre.

La jeune fille avait passé son temps à courir entre son appartement et le laboratoire photographique. Heureusement, elle avait engagé un nouvel assistant, Joe, qui l'avait relativement bien secondée. Il sortait d'une excellente école d'art photographique et ses suggestions s'étaient révélées fort judicieuses.

Les épreuves de Ray avaient été les plus difficiles à sélectionner. Joe et elle y avaient passé des heures car il était impossible de les conserver toutes.

Désormais, il lui restait à courir les agences pour présenter son travail. Eve avait la ferme intention de monter son propre studio et de continuer à faire cavalier seul. Son rêve.

Récemment, elle avait contacté les rédacteurs de

plusieurs magazines, qui lui avaient laissé bon espoir d'obtenir leur clientèle.

Phil lui avait déjà promis la sienne. *Artbeat* étant une revue importante, l'affaire n'était pas à dédaigner.

Le choix de rester indépendante convenait à son caractère : pouvoir travailler vingt-quatre heures sur vingt-quatre en cas de nécessité et prendre un peu de temps pour soi si le besoin s'en faisait sentir.

Maintenant que son métier promettait d'être une victoire, Eve en était arrivée à une autre conclusion : sa vie professionnelle prendrait le plus clair de son temps et empiéterait sûrement sur sa vie privée. Tant pis, elle s'en tiendrait à sa décision.

Elle en était là de ses réflexions quand la sonnerie du téléphone interrompit le cours de ses pensées.

— Allô ! lança-t-elle d'un ton assuré, pensant qu'il s'agissait d'un client.

— C'est vous, Eve ? Mon Dieu, quelle voix sérieuse !

En reconnaissant Ray, Eve se laissa tomber sur une chaise. Ses joues devinrent brûlantes et toute sa belle assurance disparut d'un seul coup.

— Comment allez-vous, Ray ?

— Bien, merci. Je présume que vous travaillez toujours beaucoup ?

— Oui. Je termine mon press-book et je n'en finis pas de le fignoler, avoua-t-elle en riant.

— Je m'en doutais ; c'est d'ailleurs la raison pour laquelle je vous téléphone. J'aimerais bien y jeter un coup d'œil et en discuter avec vous. Voulez-vous venir dîner chez moi demain soir et apporter ce précieux document ?

Sans prendre le temps de réfléchir, Eve répondit avec enthousiasme :

— J'adorerais !

— Parfait. Dans ce cas, je vous attends vers sept heures. Tâchez d'avoir de l'appétit car je suis un fin cuisinier !

Eve acquiesça et raccrocha, le cœur en fête. Ces dernières paroles l'avaient un peu rassurée. Si Ray s'activait à ses fourneaux, c'était qu'il vivait seul. Ils dîneraient en tête à tête dans son appartement et on ne parlerait pas de Lois. Néanmoins, elle s'exhorta à freiner son ardeur et son imagination. Ray souhaitait voir son travail, rien de plus.

La journée du lendemain lui parut interminable. Pourtant, à force de se faire la leçon, elle avait fini par admettre qu'il n'y avait à attendre de ce dîner qu'une discussion de travail et, au mieux, une coopération amicale.

Malgré tout, elle consacra une partie de l'après-midi à choisir ses vêtements. Après avoir sorti toutes ses robes, Eve se décida pour un ensemble de fin lainage blanc bordé d'un liseré mauve pâle qui mettait en valeur son teint de blonde et ses yeux gris.

Elle s'attendait à trouver Ray sur son trente et un et elle tenait à lui faire honneur en arborant une jolie toilette.

Dans le milieu de la mode, mieux valait avoir la réputation d'être trop habillée que pas assez. Bref, tous ces prétextes finirent par la convaincre : elle se faisait une beauté pour sauvegarder sa réputation et en aucun cas pour séduire Ray.

A sept heures pile, la jeune fille appuyait le doigt sur la sonnette. Un pas énergique retentit dans l'appartement. La porte s'ouvrit sur un homme souriant qui n'était plus l'intimidante star des magazines ! Ray portait un simple jean et une chemise écossaise aux manches retroussées.

— Entrez vite ! dit-il chaleureusement, en l'entraînant vers le salon.

Un instant plus tard, elle s'enfonçait dans un canapé confortable et jetait un coup d'œil curieux autour d'elle. La pièce était meublée agréablement, et la quasi-totalité des murs était cachée par des livres. Elle n'avait jamais imaginé Ray comme un intellectuel, mais, à vrai dire, elle ne connaissait presque rien de lui.

— Voici votre vin, *milady*, déclara-t-il après avoir rempli son verre.

Il s'assit à ses côtés et commença une interminable critique pleine d'humour sur les divers quartiers de New York. Ray avait l'art de détendre l'atmosphère. Eve l'écoutait en riant, tout à fait à l'aise.

Désignant une table dans un coin de la pièce, Ray s'écria gaiement :

— Assez discuté. D'abord, nous allons dîner, car je suis sûr que vous mourez de faim !

— Exact, je suis affamée. Puis-je vous aider ?

— Non. Le couvert est mis, il me reste juste à réchauffer les plats. Je reviens dans une minute.

Il s'éclipsa dans la cuisine et Eve eut le loisir de mieux détailler son appartement. Un globe terrestre ancien, un bureau de chêne clair encombré de papiers, de larges bibliothèques. De toute évidence, on ne pouvait y déceler la présence d'une femme. En touches légères, le sexe faible imprime toujours sa personnalité d'une façon ou d'une autre. L'image de Lois lui traversa de nouveau l'esprit. Si la jeune femme était une intime, une chose était sûre : elle ne venait pas ici souvent.

Ray revint avec un plat de riz aux crevettes

parfumé au safran qu'il posa sur la table et invita la jeune fille à s'asseoir. Tout en lui tenant sa chaise, il se pencha légèrement pour effleurer ses cheveux d'un baiser hâtif. Eve lui adressa un sourire timide en s'efforçant de ne pas attacher d'importance à son geste.

Après avoir goûté, Eve le félicita.

— C'est vraiment délicieux.

— Vraiment ? dit-il, ravi. Je suis content que vous l'aimiez. Je ne réussis pas toujours les nouvelles recettes. Celle-ci vient de Lois.

Eve sentit ses joues s'enflammer et, pour se donner une contenance, porta son verre à ses lèvres. Toutefois, tant pour apaiser sa curiosité que par simple politesse, elle s'entendit demander :

— Comment va-t-elle ?

— Bien. Je la vois presque tous les jours, vous savez. Encore un peu de vin ?

— Oui, merci.

Il remplit son verre. Les pensées formaient une véritable sarabande dans la tête d'Eve. Ces derniè-res paroles réveillaient la jalousie qu'elle tentait vainement de combattre. Ainsi donc la ravissante jeune femme n'était pas une camarade de fortune. D'un seul coup, ses bonnes résolutions tombèrent à l'eau. Aiguillonnée par la curiosité, elle reprit :

— Que fait Lois dans la vie ? Quel est son métier ?

Ray eut l'air étonné et, relevant les sourcils, il répondit :

— Comment ? Je ne vous l'ai pas précisé lors de votre réception ?

— Ma foi, non.

— Lois exerce le même métier que moi et nous sommes tous les deux chez Virginia Stein.

Mannequin ! Eve aurait dû s'en douter. La jeune

femme étant d'une rare élégance, Ray devait prendre un réel plaisir à s'afficher en sa compagnie. Raffiné comme il l'était, il n'aurait jamais pu entretenir une liaison avec une femme quelconque. Avec sa petite silhouette menue de tanagra, Eve se sentit plus misérable que jamais.

— Elle est charmante, bredouilla-t-elle.

— Délicieuse, renchérit Ray avec une sincérité désarmante. Je fonde beaucoup d'espoirs sur elle.

Que signifiaient ces paroles ? L'esprit en déroute, Eve refusait la vérité de toutes ses forces.

Beaucoup d'espoirs. Lesquels ?

Elle se remémora l'attitude hautaine de la jeune femme. Elle était du genre à avoir tous les hommes à ses pieds. Pauvre Ray ! Il était amoureux, bien sûr. Patiemment, il avait entrepris la conquête de Lois jusqu'à ce qu'elle succombe à son charme. Il était si beau, si distingué en dépit de ses origines modestes, tellement délicat et discret.

— J'espère que vos projets se réaliseront, balbutia la jeune fille.

Ces mots lui arrachèrent la gorge. Décidément, depuis sa rencontre avec Ray, elle était en totale contradiction avec elle-même.

— Moi aussi, dit-il doucement.

Il se leva pour apporter le plateau de fromage, puis des coupes de fruits et une glace à la vanille. Bien que ce fût délicieux, Eve leur trouva un goût amer.

La soirée lui parut irrémédiablement gâchée. Elle pouvait maintenant s'en avouer la raison : Eve Forsythe était tombée éperdument amoureuse d'un mannequin qui en aimait une autre !

Chapitre 5

APRÈS LE DÎNER, RAY INSTALLA SON INVITÉE DANS LE SOFA et partit chercher le café qu'il déposa sur la table basse. Ensuite, il desservit rapidement.

— Puis-je vous aider ? demanda Eve sans conviction.

— Vous n'êtes pas là pour cela, répondit Ray avec bonne humeur.

Il semblait avoir une grande habitude de ces tâches domestiques et en quelques minutes la pièce redevint impeccable. De son côté, Eve ne parvenait pas à retrouver son optimisme. Avec un peu plus de courage et d'assurance, elle aurait pu lui demander quels étaient ces fameux espoirs qu'il fondait sur Lois. Ainsi, la situation aurait été claire et elle se serait sentie plus détendue. Rien n'est plus lancinant qu'un doute.

Après avoir rempli les tasses, il vint s'asseoir à ses côtés, un bras passé sur ses épaules. Ils commencèrent à feuilleter le press-book.

— Voyons cette merveille, proposa-t-il avec entrain.

Eve eut un bref sourire. Dans l'immédiat, ses préoccupations n'allaient pas à son travail, d'autant que la présence, si proche, de Ray la troublait infiniment.

Les premières pages étant illustrées avec ses photos, Ray les examina une nouvelle fois d'un œil critique et poussa un bref soupir.

— La pire des choses concernant un métier est l'idée que l'on s'en fait. Son label, en quelque sorte. Les gens acceptent facilement que des femmes exercent la profession de modèle. En revanche, les hommes y gagnent une fâcheuse réputation. C'est grotesque.

Eve acquiesça silencieusement. En ce qui le concernait, Ray n'avait guère de souci à se faire. Il suffisait de le connaître pour savoir qu'il ne méritait aucune fâcheuse réputation.

— D'autant, continua-t-il, que nous ne savons jamais combien de temps dureront nos succès. Moi, par exemple, je vais bientôt avoir trente ans. Demain, je risque d'être déjà trop vieux pour continuer dans cette voie. Il me faut donc envisager la façon dont je vais prendre mon tournant sans faire d'erreur.

— Avez-vous tenté votre chance à l'étranger, en France ou ailleurs ?

— Non. Peut-être le ferai-je lorsque ma popularité commencera à diminuer. Je suis plutôt du genre patriote, cela me gênerait d'avoir à travailler à Paris ou à Rome.

Eve leva vers lui un regard compatissant. Ray se mit à rire et effleura tendrement sa joue.

— Allons, Eve, ne soyez pas triste. Il n'y a rien de dramatique, je ne vis pas avec une épée de Damoclès suspendue au-dessus de la tête ! Certes, mon travail est difficile et je suis comme un funambule. Mais, je gagne beaucoup d'argent, ce qui me permet d'en envoyer chez moi pour faire prospérer la ferme. De plus, mon métier m'offre l'opportunité de rencontrer des gens agréables et intéressants. Comme vous, par exemple.

Ses doigts sur son épaule se firent caressants et il l'attira plus près de lui. Involontairement, Eve se raidit. Non, elle ne voulait pas le laisser faire. Le contact de cette douce main faisait naître mille rêves délicieux auxquels elle résistait avec la dernière énergie car il désirait une autre femme.

— Je suppose, en effet, que vous voyez beaucoup de monde, répondit-elle en essayant de mettre un peu plus d'espace entre eux.

Mais Ray avait un bras d'acier et une poigne solide qui la rapprocha encore un peu plus. Une sourde colère envahit la jeune fille. Jamais elle ne lui permettrait de se moquer ainsi de ses sentiments.

— Vous côtoyez surtout des femmes comme Lois, continua-t-elle. Elles ne doivent guère vous résister.

Instantanément, Ray la lâcha et braqua sur elle un regard ahuri.

— Je ne comprends pas. Pouvez-vous m'expliquer ?

Eve se trouva désarçonnée. Ray était libre ; sa jalousie ne se justifiait pas et elle se sentit complètement ridicule. Pourquoi avoir mentionné le nom de sa rivale ? S'était-il jamais permis de faire la moindre allusion à Darrell ou à n'importe lequel de ses amis rencontrés à sa soirée ? Elle fit front avec une évidente mauvaise foi.

— Est-ce un crime d'avoir évoqué votre amie ?

Ray hocha la tête sans la quitter des yeux. Une

expression à la fois sévère, déçue et incrédule se peignit sur son visage.

— Certes, non. Seulement, je ne vois pas ce que vient faire Lois dans notre conversation.

Comme il n'en dit pas davantage, Eve se sentit plus perdue que jamais. Sans doute attendait-il qu'elle justifie sa question. Cela aurait été absurde. Un homme vous invite à dîner et pose son bras sur votre épaule, est-ce suffisant pour lui faire une scène de jalousie ?

Désignant le press-book posé sur la table basse, Eve demanda d'un ton faussement désinvolte :

— Je croyais que vous désiriez le regarder ?

— Je n'en ai plus envie.

Un éclair de colère traversa les yeux de Ray et il se mit à arpenter la pièce d'un pas énergique.

— Pour qui me prenez-vous, Eve ? lança-t-il d'une voix grondante.

— Mais...

— Le diable vous emporte ! Vous imaginez-vous que je vous ai invitée uniquement pour vous parler de mes conquêtes ? Pensez-vous réellement que je suis du genre à papillonner autour des femmes ? Est-ce l'opinion que vous avez des mannequins ?

— Je...

— Non, par pitié, ne prétendez pas être désolée ! C'est à moi de l'être. J'avais naïvement espéré me faire comprendre et, en l'occurrence, mieux juger !

Les bras croisés sur sa poitrine, il ajouta plus calmement :

— Lois est une excellente amie. Rien de plus, si c'est tout ce que vous vouliez savoir.

Cette fois, la jeune fille se redressa, piquée au vif.

— Me soupçonnez-vous donc de mourir de jalousie ?

Pendant une seconde, Ray ne broncha pas, puis il eut un demi-sourire et une lueur étrange traversa ses yeux.

— Oui, avoua-t-il candidement.

— Vous vous trompez, commença-t-elle.

Elle n'eut pas le temps d'en dire davantage. Immédiatement, elle se trouva dans ses bras. Ray s'empara de sa bouche et la força à répondre à son baiser. Un véritable vertige l'inonda. Eve sentit sa volonté faiblir. Lorsqu'il se redressa, elle essaya de le repousser.

— Non, Ray, non.

Il se pencha sur elle, diabolique et charmeur.

— Osez me dire que vous n'aimez pas cela ?

Sans la quitter du regard, il fit sauter le premier bouton de son chemisier et effleura la naissance de sa gorge. Puis sa bouche se promena lentement sur son front, son nez et son cou avant d'oser s'aventurer sur la peau ivoirine de sa poitrine. Eve se trouva incapable de faire un mouvement. Jamais elle n'avait éprouvé une sensation aussi brûlante et délicieuse. S'abandonnant à ses caresses, elle l'entendit chuchoter à son oreille :

— Je vais vous montrer ce que vous aimez, madame.

Il l'avait doucement renversée sur le sofa, mais, semblant se raviser, il se redressa et la prit dans ses bras. Comme une plume, il l'emporta dans sa chambre et la déposa sur le large lit.

— Laissez-moi enlever vos vêtements, dit-il doucement.

Sous le flot de désir qui l'envoûtait, Eve comprit qu'elle avait attendu ce moment depuis la première minute où elle l'avait vu. Elle ferma les yeux pour savourer pleinement ces sensations nouvelles qui transformaient le rêve en réalité, avec la merveilleuse perspective d'accompagner Ray là où il voudrait l'entraîner. Il s'agenouilla et l'aida tendrement à déboutonner sa jupe. Ses vêtements glissèrent avec légèreté comme des pétales caressant son corps. Ray aurait-il effeuillé une rose qu'il ne se serait pas montré plus délicat. Puis il vint la rejoindre et, avec un immense étonnement, Eve eut l'impression que leurs peaux, que leurs corps s'étaient toujours connus, attendus, de toute éternité.

Oui, Ray allait la guider dans le long voyage du plaisir ; d'abord sur des pentes très douces où chaque découverte lui arracha un frisson. Puis, crescendo, ils s'embrasèrent sous les caresses qu'ils se faisaient l'un à l'autre jusqu'à pousser leur impatience à son comble. Enfin, n'y tenant plus, leurs corps se réunirent dans une violente et brûlante étreinte qui les mena au sommet du plaisir. Eve découvrit le bonheur suprême dans un vertige qu'elle n'avait jamais connu et qui s'amplifia de la joie de sentir qu'elle pouvait, à son tour, ensorceler son compagnon. Jamais elle n'aurait supposé pouvoir atteindre un tel aboutissement dans leur amour, jusqu'à en avoir le souffle coupé.

Combien de temps demeurèrent-ils assoupis sur ce rivage, las, brisés, heureux, les yeux fermés pour prolonger le bien-être qui engourdissait leurs corps.

Ils se regardèrent en même temps et, de nouveau, il leur sembla se contempler dans un miroir.

— Ray, chuchota-t-elle.

Comme sa voix lui parut lointaine, irréelle ! Ray mit un doigt sur ses lèvres et murmura doucement :

— Ne parlez pas...

Il avait raison. Tout avait été dit, car il leur

suffisait de vivre. Les paroles n'étaient là que pour évoquer le travail, les projets, les soupçons, aussi ! En cet instant, elles étaient superflues. Eve referma les yeux.

Ray en fit autant et les heures de la nuit passèrent sur eux. Aux premières lueurs de l'aube, il se redressa et Eve fut réveillée par ce regard qui la veillait.

— Bonjour, dit-il seulement.

La lueur qui brillait dans ses yeux bleus contenait une promesse : celle d'un univers nouveau-né dans lequel il avait l'intention de l'emmener encore. Eve effleura sa joue, puis sa bouche.

— Je vous aime, murmura-t-il.

Le rituel recommença avec la même tendresse et s'acheva en apothéose. Des larmes de bonheur coulèrent sur les joues de la jeune femme. Jamais elle n'avait connu pareille communion. Lorsque, enivrés de bonheur, ils se laissèrent aller comme sur un nuage, Ray déclara d'une voix enrouée par l'émotion :

— Comprenez-vous, maintenant, que vous êtes la seule femme que je désire ?

Eve ne répondit pas. Elle était trop heureuse. La perspective d'avoir à se lever, à quitter ce lit pour retrouver les gestes quotidiens lui parut inhumaine !

— A quoi pensez-vous, mon amour ? demanda-t-il.

— Je me demande pourquoi nous avons perdu tant de temps avant de nous connaître.

Toutefois, ses lèvres n'osèrent pas prononcer les mots d'amour qui lui tenaient tant à cœur. Elle l'enveloppa d'un regard brûlant plus éloquent que des paroles.

Chapitre 6

DEUX SEMAINES S'ÉTAIENT ÉCOULÉES DEPUIS CETTE NUIT
de rêve. Avec une énergie nouvelle, Eve s'était
replongée dans le travail. L'amour la stimulait.
Néanmoins, il lui fallait admettre que leurs relations sortaient de l'ordinaire !

Ils ne s'étaient revus que deux fois.

La première, ils s'étaient rendus ensemble au
cinéma et, de retour chez lui, ils avaient repris leurs
étreintes passionnées. Ils s'étaient redécouverts
avec le même émerveillement.

La seconde fois, Ray était venu dîner chez elle,
mais il était parti tôt. Le lendemain, il avait une
lourde journée de rendez-vous. Ses exigences professionnelles avaient pris le pas sur le bonheur de
s'aimer toute une nuit. Eve l'avait fort bien compris
car l'extraordinaire attirance physique qu'ils éprou-
vaient l'un pour l'autre était accompagnée d'une
parfaite entente sentimentale et spirituelle. Leurs
émotions étaient identiques. Souvent, il leur était
inutile de se parler pour se comprendre.

Le soir, Eve décida de frapper à la porte de Penny.

Elle n'avait pu se résoudre à lui révéler ce qui venait de lui arriver. Sans doute craignait-elle de briser la magie de cet amour si neuf et si violent à la fois.

Mais Penny devait posséder des antennes car à peine Eve ouvrit-elle la porte qu'un seul coup d'œil sur son amie lui révéla une partie du secret.

Eve portait un simple jean et une chemise beaucoup trop grande pour elle. Toutefois, en dépit de cette apparence négligée, son visage rayonnait d'une façon inaccoutumée. Ses yeux gris semblaient plus profonds ; son sourire, plus radieux. Bref, son récent bonheur se lisait comme à livre ouvert.

— Comment est-il ? lança Penny en riant.

Eve fila à la cuisine pour se servir une tasse de café et se donner le temps de composer son attitude. Puis, revenant dans le salon, elle s'assit sur la moquette, les bras autour des genoux.

— Il s'appelle Ray.

— Je m'en doutais, figure-toi. Je te demande pardon pour tous les préjugés dont je l'ai accablé.

— Inutile de t'excuser. Moi-même, j'ai éprouvé des doutes à propos de Lois.

Ce nom lui arracha une légère grimace. Après s'être confiée à son amie, Eve se frotta le bout du nez, dubitative.

— Il y a quand même un détail qui m'ennuie, avoua-t-elle, c'est qu'il m'a invitée demain à une soirée. Je ne refuse pas de m'y rendre, mais il s'agit d'une réception plutôt professionnelle et je le vois déjà si peu ! Il n'aura guère le temps de s'occuper de moi.

— Oui, je comprends ce que tu ressens.

Eve hocha la tête. En son for intérieur, elle se sentait frustrée. Il n'était pas normal que les servitudes de leur profession les éloignent ainsi l'un de l'autre. Une sorte d'instabilité sous-jacente menaçait constamment leur amour en le faisant parfois passer au second plan, au rang d'une banale aventure.

— D'une certaine façon, continua-t-elle, Ray est une vedette. Il est fort désagréable de nous trouver en public tous les deux. Les gens le dévisagent, des adolescentes se précipitent sur lui pour lui demander un autographe. Cela m'horripile.

— Tu n'aimes pas partager, n'est-ce pas ? souligna Penny en souriant.

— Pire. J'ai l'impression qu'il ne m'appartient plus !

— Personne n'est à personne, rectifia Penny sévèrement. Mais je dois admettre que la popularité de Ray peut effectivement te paraître déprimante.

Penny avait raison. Eve fixa le bout de ses doigts. Pour être tout à fait honnête, elle aurait dû ajouter que la jalousie l'aiguillonnait sans arrêt. A son avis, Ray se montrait beaucoup trop aimable et galant envers cette nuée de femmes qui bourdonnaient autour de lui comme un essaim de mouches. Elle en venait à douter de son propre charme et elle en éprouvait un véritable complexe d'infériorité.

— Je n'aurais jamais dû tomber amoureuse d'une star, soupira-t-elle.

— L'amour ne se commande pas, ma pauvre amie !

Comme d'un seul coup la jeune femme semblait sincèrement abattue, Penny reprit gaiement :

— Détends-toi, voyons ! C'est le revers de la médaille. De plus, tu sais combien il est difficile de mener de front sa carrière et sa vie privée. Vous avez tous les deux des métiers très aléatoires, vous êtes également ambitieux et la pire erreur serait de sacrifier votre carrière. Vous ne tarderiez pas à vous le reprocher.

— Exact. Il y a quinze jours à peine, j'accordais tant d'importance à la réussite de mes photos que je n'imaginais même pas qu'il me restait de la place pour l'amour.

— Tu vois ! Je ne te le fais pas dire. A trop en vouloir, tu risques de tout perdre.

Prudemment, Penny garda pour elle un verdict beaucoup plus sévère. Eve avait vécu dans un milieu aisé, éloignée de tous les vrais problèmes pécuniaires. A force d'être dorlotée et choyée, la jeune fille avait commencé trop tardivement son apprentissage. Plongée dans la jungle de New York, elle s'était retrouvée désarmée. Maintenant, elle doutait de ses capacités, c'était normal. Bref, la crise d'adolescence avait eu lieu un peu tard.

D'après les confidences que son amie lui avait faites, il n'en était pas de même pour Ray qui avait dû se débrouiller très tôt et avait vite pris conscience de ses atouts ou de ses lacunes. L'existence avait exigé de lui un choix immédiat et définitif. Si de son côté Eve s'était montrée courageuse en se lançant un pari, il lui restait encore à relever le gant et à ne pas se retourner sur ses éventuelles faiblesses.

— Merci, déclara Eve un peu revigorée. Cela me fait du bien de pouvoir discuter avec toi.

— Mes honoraires de psychiatre se borneront à un double cornet de glace.

— C'est d'accord.

Le lendemain soir, tout en s'habillant avec soin, Eve eut le bref pressentiment que cette soirée serait un désastre. Primo, elle n'était pas d'humeur à sortir. Secundo, elle éprouvait le terrible besoin de voir Ray en tête à tête.

Dans cette disposition d'esprit, elle aurait sans doute mieux fait de renoncer à la réception.

— Tu es stupide, dit-elle à son image dans le miroir, on dirait que ta vie est en jeu ! Conduis-toi comme une grande fille !

Après avoir inspecté sa garde-robe, Eve s'était décidée pour une robe de soie gris perle. Le corsage ajusté moulait son buste délicat. La jupe tombait en larges plis au-dessous du genou. Le col à ras du cou et les amples manches donnaient une note à la fois stricte et romantique. C'était le genre de tenue qui s'imposait pour une réunion plus professionnelle que mondaine.

Un collier et des boucles d'oreilles en perles fines égayèrent l'ensemble. A vrai dire, Eve ne prisait pas tellement les bijoux ; elle trouva que ces perles trop sages la vieillissaient et elle faillit se déshabiller pour choisir autre chose.

Il était trop tard. Eve acheva de se maquiller, enfila des escarpins à hauts talons et jeta sur ses épaules un superbe châle que ses parents lui avaient rapporté du Mexique. Il était en lamé argent et entièrement brodé à la main. Ce vêtement très original pourrait faire de l'effet au cas où les invités seraient un peu plus habillés.

Lorsqu'elle sortit de l'appartement pour appeler un taxi, une vague amertume l'envahit. A quoi bon avoir trouvé un compagnon si c'était pour se rendre seule à ses soirées ? De nouveau, Eve se gourmanda. Comment Ray aurait-il pu trouver le temps de venir la chercher, puisqu'il était le maître de maison ? Aussitôt, elle se reprocha de devenir acariâtre !

Décidément, elle n'arrivait pas à chasser le mauvais pressentiment qui l'obsédait depuis le matin.

— Tu aurais dû rester chez toi, grommela-t-elle.

Durant tout le trajet, elle s'efforça de prendre de bonnes résolutions. Son égoïsme risquait de tout gâcher. Il était absurde de tant aimer Ray et de refuser de partager les moments importants de sa carrière. Après avoir sévèrement jugé les femmes tyranniques, voici qu'elle se conduisait de même.

En appuyant sur la sonnette, son moral était presque revenu au beau fixe. Ray vint lui ouvrir. Eve jeta un coup d'œil furtif sur les invités qui se pressaient déjà dans son salon et elle crut mourir de honte sur place : tout le monde était en tenue de soirée !

— Vous êtes ravissante, murmura-t-il en l'embrassant.

Eve trouva que sa voix manquait de conviction. Elle aurait souhaité disparaître sous terre ! Les femmes portaient des robes longues et décolletées. La plupart des hommes étaient en smoking. Au milieu de cette brillante assistance, Eve eut l'atroce certitude que ses ennuis ne faisaient que commencer.

Il la précéda dans la pièce et elle s'entendit balbutier misérablement :

— L'appartement est merveilleusement décoré, bravo !

En effet, d'énormes bouquets de fleurs étaient disposés au milieu des plantes vertes. On se serait cru dans un jardin. Une quantité de hors-d'œuvre et de bouteilles de champagne étaient posés sur des petites tables rondes, disséminées çà et là. Une musique douce créait une atmosphère intime et Eve reconnut la musique de Segovia qu'elle aimait tant.

58

— Venez, je vais vous présenter à mes amis, commença-t-il.

Hélas, la sonnette de la porte d'entrée résonna à nouveau et il ajouta précipitamment :

— Je suis désolé, mais je vais devoir jouer les portiers pendant un moment. Servez-vous une coupe de champagne, je suis sûr que vous allez retrouver de vieilles connaissances.

Et il la planta au milieu du salon.

Jamais elle ne s'était sentie aussi misérable. Pourquoi ne s'était-elle pas habillée plus élégamment ? Elle devait faire figure de petite provinciale endimanchée parmi ces gravures de mode. Où avait-elle la tête ? Pour faire un simple reportage photographique dans Central Park, elle se mettait sur son trente et un ! Et pour une soirée mondaine, en robe d'après-midi !

Malgré la certitude que tout le monde avait les yeux fixés sur elle, la jeune fille traversa la pièce pour aller chercher un verre.

Elle se trouvait gauche, maladroite. Il devait être évident qu'elle était mal dans sa peau. Un vertige l'envahit. Que faisait-elle là ?

Elle but sa coupe d'un trait pour se calmer les nerfs, puis s'efforça de contempler l'assistance avec un certain détachement. Le milieu de la mode ne manquait pas de piquant : le seul homme qui ne portait pas de smoking se trouvait être un dandy vêtu d'une façon pour le moins étrange. Il arborait une chemise de velours rouge vif. A en juger par les regards serviles des admirateurs qui l'entouraient il devait être très célèbre. Eve l'avait déjà vu, malheureusement elle n'arrivait pas à mettre un nom sur son visage, ce qui acheva de l'irriter.

Un peu plus loin, Lois se tenait comme une reine

au milieu de sa cour, distante et hautaine. Lorsque leurs yeux se croisèrent, elle ne fit pas un mouvement pour aller la saluer. Eve ne broncha pas davantage. C'était vraiment un comble! Les deux femmes s'ignorèrent avec superbe. Il était clair que Lois n'appréciait guère la présence d'Eve dans ce salon. Et vice versa!

Machinalement, Eve prit un second verre sur un plateau qui passait. Pour se donner contenance, elle circula lentement parmi les groupes, souriant au passage à quelques invités. Mais, de toute évidence, elle n'intéressait personne et son malaise s'accentua. Cette réception mondaine était superficielle et assommante. Après avoir jeté de furtifs coups d'œil en direction de Ray, Eve comprit qu'elle n'avait rien à attendre de ce côté. Il se montrait un maître de céans absolument parfait, bavardant avec tous ses invités excepté avec elle!

Complètement découragée, la jeune fille se dirigeait vers la terrasse lorsque, soudain, une silhouette familière se dressa à ses côtés.

— Bonsoir, Eve. Vous me reconnaissez n'est-ce pas?

Avec une grande gentillesse, Bobby lui avait fait signe en la voyant arriver. Eve ressentit un bref soulagement et une sincère gratitude pour ce jeune homme, le seul qui ne la traitait pas avec mépris.

— Comment allez-vous, Bobby?

— Bien. D'abord, je dois vous féliciter pour ce superbe reportage sur Ray. Il m'a montré les photos, elles sont magnifiques. Voici longtemps qu'il me parle de vous.

— Merci.

En quels termes Ray l'évoquait-il auprès de ses amis? Comme une bonne photographe? A en juger

60

par le peu d'empressement dont il faisait preuve ce soir, Eve pouvait supposer qu'elle ne représentait rien d'autre pour lui.

— Vous êtes mannequin ? reprit-elle.

— Oui. C'est vraiment un métier difficile à New York. Il y a une telle concurrence. Heureusement, Ray est un ami merveilleux qui m'entraîne dans son sillage chaque fois qu'il le peut.

— Vous le connaissez depuis longtemps ?

— Depuis deux ans. Il était déjà célèbre lorsque je suis arrivé. Bon nombre de ses camarades peuvent lui être reconnaissants pour le petit coup de pouce qu'il leur a donné.

Evidemment, la générosité de Ray Halpern jouait en sa faveur. Mais jusqu'où s'étendait-elle ?

— Lois est également une fidèle amie, je suppose ? demanda-t-elle avec une fausse indifférence.

— Vous la connaissez ?

— Je l'ai déjà rencontrée, répondit Eve, sans souligner où ni quand.

Bobby eut un sourire amusé qui pouvait signifier mille choses.

— Oh ! Lois, c'est différent. Ils ont fait leurs débuts ensemble à New York et je pense qu'ils ont mille projets en commun.

Eve eut l'impression que le sol se dérobait sous ses pieds. On ne pouvait être plus explicite ! A peine écouta-t-elle la suite de la conversation.

— Dans ce genre de soirée, continuait Bobby, il n'y a vraiment rien d'autre à faire que boire un verre et attendre que le temps passe. Je déteste ces cocktails mondains, et vous ?

Eve tressaillit. Elle était en plein brouillard. L'attitude de Ray s'expliquait. Il avait ajouté Eve à la longue liste de ses conquêtes. Point final. En revanche, Lois était la compagne idéale avec laquelle il pouvait partager non seulement ses élans amoureux, mais aussi ses projets d'avenir. Tous deux exerçaient le même métier. L'indifférence que Lois montrait à son égard n'avait rien d'étonnant non plus ! Eve n'était même pas une rivale, pour la bonne raison qu'elle n'appartenait pas à leur milieu. Tout au plus, Lois devait-elle la considérer comme un bref caprice dans la vie de Ray Halpern.

— Puis-je aller vous chercher une autre coupe de champagne ?

Eve sursauta. Bobby s'était emparé de son verre vide.

— Oui, s'il vous plaît, dit-elle.

— Je reviens tout de suite.

Elle le suivit des yeux. Bobby se faufila parmi la foule des invités, s'arrêta un instant pour dire quelques mots à Ray. Peut-être trouvait-il également que son ami s'occupait trop peu de la jeune fille ! Cette sollicitude lui causa une véritable humiliation. Elle fit quelques pas sur la terrasse. La nuit étoilée était éclairée par les mille lumières de New York — une vue superbe. Fugace, le souvenir de la confortable propriété de ses parents lui traversa l'esprit. Comme elle avait été heureuse de quitter le Vermont pour tenter sa chance dans cette grande ville ! Une brutale nostalgie l'envahit. Et si elle avait commis une erreur ? Ici, tout était surfait, superficiel. La vie trépidante, les amitiés artificielles, tout cela n'était pas pour elle !

Eve se retourna et aperçut Ray qui semblait se diriger vers elle. Son cœur battit follement. Elle se sentit perdue, hésitante, malheureuse. Bobby allait être de retour dans un instant. Qu'allait-elle pouvoir dire à Ray ? Ses pensées se bousculèrent dans sa tête et, soudain, son découragement fut total.

Il n'y aurait rien à dire à Ray, pour la bonne raison qu'il s'était de nouveau fait happer par un groupe d'amis. Comme une femme posait une main sur son épaule, il se lança aussitôt dans une conversation gaie et animée. Il riait, le monstre !

Une énorme vague de colère l'inonda. Ray Halpern dépassait les bornes.

Resserrant autour d'elle les pans de son grand châle, Eve quitta la terrasse, traversa la pièce sans un regard. Elle quitta l'appartement en faisant claquer la porte derrière elle.

Ses tempes lui faisaient mal. Comme dans un cauchemar, elle appela l'ascenseur. Personne n'avait besoin d'elle, Ray Halpern encore moins que quiconque.

Chapitre 7

LORSQU'ELLE REGAGNA SON APPARTEMENT, SA COLÈRE s'était peu à peu transformée en désespoir. Elle n'était pas prête à oublier l'humiliation qu'elle venait d'essuyer.

Non seulement Ray ne lui avait pas témoigné la moindre tendresse, mais il l'avait traitée en quantité négligeable. Etait-ce ainsi que l'on recevait une femme dont on venait d'être l'amant ? Pire, elle s'était sentie aussi dédaignée par ses invités.

Jamais une réception ne s'était aussi mal terminée. C'était une chance qu'elle ait pris la fuite avant d'avoir explosé de colère.

Quant à Lois, la preuve était faite. Ray fondait des espoirs sur elle ! Bobby confirmait les projets qui les unissaient. Que venait faire la pauvre Eve Forsythe dans tout cela ? Ce soir, la jeune fille avait l'impression de s'être ridiculisée.

Dans le désarroi où elle se trouvait, impossible d'avoir une vision claire de la situation. Elle décida de se mettre au lit. Après s'être déshabillée, Eve fila dans la cuisine pour se préparer une infusion. Peut-être une bonne nuit de sommeil apaiserait-elle son chagrin.

Comment avait-elle pu se montrer si naïve ? Faire confiance à un homme qui gravitait dans le milieu le plus superficiel de New York ? Se laisser berner par sa cour assidue, brève et charmeuse ?

La sonnerie du téléphone la fit sursauter. Les mains tremblantes, elle posa la bouilloire et allait se précipiter pour répondre quand un pressentiment l'immobilisa. L'espoir, la crainte, la révolte la paralysa. Non, elle ne répondrait pas. Elle n'avait plus rien à dire à Ray. Il était définitivement perdu pour elle. Elle n'avait pas davantage la force de parler à qui que ce soit d'autre.

Elle revint dans sa chambre. Assise sur le bord du lit, elle attendit que le téléphone se taise. Quand le silence retomba, Eve se sentit aussi perdue qu'une enfant et les larmes se mirent à couler sur ses joues.

Après avoir bu sa tisane chaude, la jeune fille essaya de se calmer et se glissa dans ses draps. Les regrets ne tardèrent pas à l'assaillir. Comme un mauvais film, la soirée défila devant ses yeux. Evidemment, Ray Halpern ne pouvait pas se montrer fier de sa compagnie. Elle revit sa simple robe de soie faisant tache dans cette assemblée élégante, son complexe d'infériorité certainement visible sur son visage, sa gaucherie à se mêler aux invités. Ray l'avait trouvée ridicule et s'était bien gardé de s'afficher avec elle !

Tous deux venaient du Vermont, champêtre et sans façons, mais Ray n'avait plus rien d'un fermier tandis qu'elle avait fait figure de petite paysanne, ce soir !

Il ne voudra certainement plus me revoir, songeat-elle.

Une seconde fois, le téléphone sonna. A cette heure tardive, il ne pouvait s'agir que de Ray. D'éventuels clients ne l'auraient pas appelée en pleine nuit et Penny ne l'avait certainement pas vue rentrer.

Eve enfouit sa tête dans l'oreiller. Si Ray insistait pour lui parler, tout espoir n'était peut-être pas perdu. Une sorte de réconfort l'envahit. Ce soulagement provisoire lui donna la force de résister à répondre.

Epuisée, la jeune femme finit par s'endormir.

Au réveil, sa première pensée fut pour la soirée de la veille. Un coup de poignard. Une lourde journée de travail l'attendait, mais elle avait perdu tout son enthousiasme. Pendant quelques secondes, elle referma les yeux avec l'espoir que tout n'était qu'un mauvais rêve. Hélas ! Reprendre ses occupations ? Affronter de nouveaux clients ? Tout lui parut stérile et inutile.

Toutefois, après avoir pris une tasse de café, son esprit redevint combatif. Une froide explication avec Ray s'imposait. Malheureusement le téléphone restait muet ce matin. Ce silence ne fit qu'envenimer sa rancœur. Eve était bien entendu sous sa douche quand la sonnerie retentit enfin. Elle en jaillit, trempée, s'enroula dans un drap de bain et décrocha le combiné.

Avant même qu'elle ait eu le temps de prononcer un bref « allô ! », une voix furieuse retentit à son oreille.

— Cela vous arrive souvent de quitter une réception de cette façon ?

Eve sursauta. Il ne manquait pas de toupet !

— Je n'avais plus rien à faire là-bas.

Cette fois, elle avait la ferme intention de lui clouer le bec.

— Bravo ! gronda-t-il. Charmante habitude de filer comme une voleuse sans même prendre congé !

Il paraissait hors de lui. Insistant sur chaque mot, Eve rétorqua froidement :

— Je n'ai pas non plus l'habitude de rester avec des gens qui se soucient de moi comme d'une guigne.

Un silence pesant tomba sur la ligne. Néanmoins, Eve sentait la colère de Ray à l'autre bout du fil. Il reprit fermement :

— Eve, seriez-vous assez aimable pour me fournir une explication ? Une minute, vous êtes là. La suivante, plus personne ! Est-ce trop vous demander que de savoir ce qui s'est passé ?

Certes non ! Eve n'attendait que cela ! Les reproches se bousculèrent dans sa tête. Attention, ne pas perdre ma dignité, songea-t-elle à toute allure.

— Pour ne rien vous cacher, déclara-t-elle, jamais je ne me suis rendue à plus ennuyeuse réception. Primo, vous n'avez guère daigné vous apercevoir de ma présence. Secundo, vous ne m'avez présenté personne. Tertio, pour être franche, vos amis ne me plaisent pas et, si je ne me trompe, c'était réciproque !

Elle se redressa, satisfaite. Le nom de Lois n'avait pas été prononcé. L'orgueil était sauf. En revanche, Ray sembla stupéfait.

— Miséricorde ! De quoi me parlez-vous là ?

— De la désinvolture de vos invités ! A défaut d'être amicaux, ils pourraient, au moins, être polis.

La vision de Bobby passa devant ses yeux. Sa mauvaise humeur la rendait injuste. Les invités n'étaient pas responsables du comportement de Ray. Aussi lança-t-elle, exaspérée :

— Par exemple votre amie Lois ! Croyez-vous qu'elle se soit montrée amicale ? Après être venue chez moi, ne pensez-vous pas qu'elle aurait pu faire l'effort de m'introduire auprès de vos amis ?

A peine formulés, Eve regretta ces mots. Ils lui avaient échappé, mais ils étaient malencontreux ! Ray ne manqua pas de souligner d'un ton égal :

— Désolé que Lois ne se soit pas occupée de vous. Néanmoins, puis-je vous rappeler qu'elle n'est pas la maîtresse de maison ?

— En effet, enchaîna précipitamment Eve. Aussi, était-ce à vous de vous préoccuper si je m'amusais ou non !

Elle s'arrêta, à bout d'arguments. La conversation ne prenait pas du tout le tour désiré. Elle se contredisait, ses reproches étaient infantiles. Le chagrin qu'elle ressentait ne perçait guère dans ses paroles. Elle devait davantage donner l'impression d'être vexée que profondément blessée.

— Je n'arrive pas à croire que vous me teniez un pareil discours, reprit Ray. Savez-vous que ce genre de réceptions fait partie de mon métier ? Les gens que je reçois ne sont pas tous des amis et je suis forcé de rester sur un plan purement professionnel. En quoi cela peut-il remettre en question mes sentiments ?

Eve serra les lèvres. Elle n'avait nullement l'intention de retomber dans son piège. Habilement, Ray s'efforçait de passer Lois sous silence, afin d'éviter une explication orageuse. Il se montrait prudent, diplomate et dangereusement discret ! Cette pseudo-indifférence pour son amie cachait à merveille leur liaison.

— Votre réussite sociale me paraît trop chèrement payée, commença-t-elle.

— Il est évident que vous ne me comprenez pas, interrompit-il. J'ai été fou de croire le contraire. Dans un sens, il vaut mieux que nous sachions tous deux à quoi nous en tenir.

Ces paroles lapidaires lui déchirèrent le cœur, mais elle s'entendit rétorquer :

— C'est mon avis, Ray.

— Alors tout est bien. Si vous n'avez pas assez de conscience professionnelle pour accepter des soirées comme celle-ci, il vaut mieux le découvrir maintenant. Je suis désolé que vous ne soyez pas capable de me seconder et que votre petite personne ait tant besoin d'être dorlotée. Vous vous moquez autant de mon travail que de moi. Dans ce cas, adieu !

Avant qu'elle n'ait pu riposter il avait raccroché. Ses derniers mots résonnèrent dans son oreille. Lorsqu'elle reposa le combiné, des sanglots la secouèrent.

Déjà, en son for intérieur, un épouvantable sentiment de frustration commençait à la ronger. Maintenant, les mots lui venaient pour expliquer sa conduite, malheureusement, trop tard.

Ray n'avait pas raison. Il n'aurait pas tiré ces conclusions si Eve avait pu lui avouer les causes de sa jalousie : Lois ! Non, il était inutile de s'avancer sur ce terrain.

Eve était trop malheureuse pour se conduire raisonnablement. Elle accumulait les maladresses et, comme elle s'en rendait compte, ses pleurs redoublèrent.

Chapitre 8

LES SEMAINES SUIVANTES NE FURENT PAS FACILES A VIVRE. Il y avait deux Eve Forsythe ! D'un côté, une talentueuse photographe qui multipliait ses rendez-vous à l'extérieur et recevait partout un excellent accueil. Son press-book lui valut maintes commandes et elle commença peu à peu à se faire un nom dans le métier. De l'autre, une jeune fille amoureuse et déçue qui essayait vainement d'oublier ses déboires.

Dans la journée, Eve parvenait à chasser Ray de son esprit car elle était très occupée. Elle devait faire bonne impression à ses interlocuteurs, ce qui mobilisait toutes ses pensées. Le fantôme de Ray Halpern cessait d'intervenir dans sa vie professionnelle. D'ailleurs, il n'était pas le seul à avoir de l'ambition, Eve désirait tout autant réussir dans sa carrière. Ils avaient tous deux la même volonté de s'exprimer à travers leur métier et c'est pourquoi ils s'affrontaient si durement.

En revanche, les nuits étaient infernales. Non seulement l'image de Ray venait la hanter, mais, pire encore, le souvenir de ses caresses, de leurs étreintes et de leurs baisers brûlants. Tantôt, elle lui faisait porter la responsabilité de leur rupture, tantôt, elle se jugeait seule coupable.

Par un pur phénomène de compensation, la jeune fille se passa tous ses caprices. Elle acheta des vêtements, des fleurs, des bonbons, chaque dépense lui apportait un petit plaisir susceptible de cicatriser ses blessures. Un psychiatre ne lui aurait pas conseillé meilleur remède. De toute façon, elle n'en voyait pas d'autre.

Cependant, un soir où elle venait de décrocher un contrat particulièrement brillant avec un magazine, le besoin de partager ce succès devint impératif. En rentrant dans son appartement, Eve s'installa dans son fauteuil favori, la main posée sur le téléphone, hésitant entre appeler Penny, ce dont elle n'avait guère envie, ou Ray. Il était peut-être temps de discuter calmement avec lui. Leur aventure amoureuse était terminée, mais ils pouvaient rester amis. Ne s'étaient-ils pas quittés sur un mouvement de colère ce qui rendait dérisoire leur rupture ? Retranchés dans leur camp respectif, comme deux enfants, c'était à qui ferait le premier pas. Eve eut la brusque velléité de se conduire comme une adulte et de marquer un point.

A cet instant, la sonnerie stridente de l'appareil la fit sursauter. Ray avait-il eu une transmission de pensée ? Animée par l'espoir, elle décrocha immédiatement.

— Allô ? bredouilla-t-elle, le cœur battant.

— Allô ? Ici, Darrell. Il y a longtemps que je songe à vous et j'ai décidé de vous faire sortir de votre tour d'ivoire.

Sa voix était affectueuse. En dépit de sa déception, Eve ressentit un certain soulagement. Elle n'était plus toute seule, quelqu'un se préoccupait d'elle.

— C'est une bonne idée, Darrell.

Pendant quelques minutes, il entretint la conversation. Il parla de son travail, de son nouveau bateau et de sa vie droite et sans histoire. Ce fut un véritable baume. Darrell était un garçon simple qui ignorait les tortures des sentiments. Il marchait dans l'existence comme un enfant sans souci et, par comparaison avec Ray, cette absence de drame était une bouffée d'air frais.

— Eve, êtes-vous toujours là ? Vous n'avez pas dit quatre mots depuis le début. Quelque chose ne va pas ?

— Rien, s'empressa-t-elle de répondre. Je suis vraiment contente de vous entendre.

— Tant mieux. J'adorerais vous voir. Etes-vous libre vendredi soir ? Nous pourrions nous rendre au théâtre ou au concert. A moins que vous ne préfériez aller dans une boîte de nuit ? Qu'en pensez-vous ?

— Rien ne me ferait plus plaisir, répondit-elle sincèrement.

— Très bien. Je passerai donc vous prendre vers huit heures. Nous irons dîner en ville et danser ensuite.

— C'est d'accord. Je vous attends.

Eve raccrocha, soulagée. Darrell venait de lui imposer la meilleure solution : sortir, se changer les idées. Plus besoin d'appeler Ray, son sentiment de solitude avait disparu. Darrell avait comblé ce vide.

La semaine se termina beaucoup plus facilement qu'elle n'avait commencé. De nouveau, Eve avait retrouvé confiance en elle. Le vendredi soir, elle s'habilla avec soin et jeta un regard satisfait sur le miroir. Le souple tissu de sa tunique couleur ivoire

72

et cette nouvelle coiffure lui dégageant le visage soulignaient sa fragilité et sa minceur.

Elle se trouva charmante et regretta, fugitivement, de ne pas se faire belle pour Ray. Mais elle n'allait pas gâcher sa soirée par de telles considérations.

— Vous êtes absolument ravissante, déclara Darrell lorsqu'elle ouvrit la porte. Vous ressemblez à un elfe.

— Merci, dit-elle gaiement. C'est à la mode d'être mince !

Puis elle jugea cette remarque stupide. Avec quatre kilos de plus, elle aurait l'air d'un petit tonneau.

S'accrochant au bras de Darrell, elle le poussa dehors et lança avec bonne humeur :

— Allons-y !

Après un délicieux dîner dans l'une des mille auberges de Greenwich Village, Darrell l'emmena dans Broadway. Ils passèrent une partie de la nuit à danser. Eve dépensa toute son énergie et oublia ses idées noires. A deux heures du matin, épuisée, elle se laissa tomber dans le taxi et appuya sa tête contre l'épaule de son compagnon. Darrell se pencha et effleura ses lèvres d'un léger baiser. Eve frémit. Certes, son intention n'était pas de blesser Darrell, mais elle ne se sentait nullement prête à s'abandonner dans les bras de son chevalier servant. Elle changea adroitement de position, espérant qu'il comprendrait. Plein de tact, il se contenta de lui prendre affectueusement la main. Darrell était un homme patient. Il avait toute la vie devant lui et il saurait attendre le bon moment.

Devant la porte de son appartement, Eve prit congé avec une sincère reconnaissance. La soirée avait été amusante et Darrell avait su lui faire oublier son chagrin. Grâce à lui, Eve avait probablement échappé à la dépression. Elle le remercia pour sa gentillesse.

Durant les quinze jours qui suivirent, Eve et Darrell se virent davantage. Ce fut un déjeuner par-ci, un dîner par-là. Ils se rendirent au théâtre, écoutèrent de la musique ou allèrent danser. Peu à peu, Eve fut bientôt convaincue d'être totalement guérie. Ray n'avait été qu'un bref épisode, brûlant et vite éteint comme toute passion. Elle se surprit même à se confier à Darrell aussi facilement qu'à Penny. Sans être amoureuse, la jeune fille se sentait bien en sa compagnie.

Un dimanche, après avoir copieusement déjeuner dans un restaurant chinois de la Cinquième Avenue, Eve entraîna Darrell devant les larges vitrines où de ravissantes porcelaines côtoyaient des aquariums savamment éclairés. Dans les jeux de lumière, des poissons tropicaux formaient un véritable ballet. Le spectacle était enchanteur. Soudain, une voix résonna derrière elle.

— Eve ?

Brutalement arrachée à ce royaume aquatique, elle sursauta et se trouva nez à nez avec Ray. D'un seul coup, son cœur se mit à battre la chamade. Ses jambes étaient en coton. Elle ressentit un grand vide et balbutia en évitant de le regarder :

— Quelle étrange coïncidence !

Son premier réflexe fut de fuir, ce qui aurait paru absurde. Nonchalant, Ray Halpern la dévisageait calmement. L'idée de lui parler, après tout le chagrin qu'elle venait juste de chasser, lui parut insupportable. Eve s'accrocha au bras de Darrell et ajouta précipitamment :

— Eh bien! Nous n'allons pas vous retarder davantage, nous allions partir.

Elle jeta un sourire enjôleur à son compagnon dans le but de blesser Ray. Sans vraiment comprendre ce qui se passait, Darrell devina néanmoins le message, car il enchaîna d'un ton égal :

— En effet. A bientôt, peut-être ?

Et il entraîna la jeune fille.

L'après-midi parut interminable. Un sentiment de solitude ne tarda pas à tomber sur ses épaules et finalement Eve demanda à Darrell de la raccompagner plus tôt que prévu.

A peine se retrouva-t-elle dans son appartement qu'un profond abattement la terrassa. Quelle malchance de l'avoir revu! Elle se croyait guérie et découvrait brusquement qu'il n'en était rien. Quelques secondes avaient suffi pour réveiller son amertume. Ses sentiments n'avaient pas changé, de nouveau la souffrance revint.

La semaine qui suivit se révéla abominable. Un soir, après une journée de travail et une visite au musée, le dîner avec Darrell fut terriblement ennuyeux.

Cette fois, le pauvre jeune homme sentit que le cœur n'y était pas. Eve avait beau se montrer animée, son enthousiasme sonnait faux. Lorsqu'ils se séparèrent, Darrell ne lui cacha pas qu'il était fatigué de l'ambivalence de ses sentiments. Bien sûr, il n'était pas fâché, mais il aurait aimé savoir à quoi s'en tenir.

Au fond de son cœur, Eve ne pouvait le blâmer.

Ce fut quelques jours plus tard que Penny lui téléphona pour l'inviter à une réception donnée par l'un de ses amis. Une joyeuse réunion était prévue pour le week-end suivant. Trop contente d'échapper à sa solitude, Eve accepta d'emblée. Elle tournait en rond. En fait, elle avait besoin de voir davantage de monde et d'étendre un peu ses relations dans New York. Sans vouloir se l'avouer, elle éprouvait la nécessités de s'étourdir et de s'amuser avec de nouvelles connaissances.

Cette invitation tombait à merveille. Rien de tel pour lui changer les idées. Elle s'acheta une nouvelle chemise de soie turquoise qu'elle pourrait porter sur son jean. Penny l'avait prévenue qu'une tenue décontractée serait de rigueur, les invités étant essentiellement des artistes. Vraisemblablement d'autres réjouissances suivraient le lendemain.

Le samedi soir, Penny vint la chercher et laissa échapper un sifflement admiratif.

— Fichtre ! tu es magnifique ! J'espère que tu es en forme pour une longue nuit d'aventures.

— Toujours prête ! riposta Eve en riant. Ne t'ai-je pas dit que j'avais fait du scoutisme dans mes jeunes années ?

Bras dessus, bras dessous, les deux jeunes femmes quittèrent l'appartement et hélèrent un taxi pour se rendre dans Greenwich Village, le quartier artistique de Manhattan.

Leur hôte avait connu un grand succès en illustrant un livre, ce qui l'avait rendu célèbre. Mais, depuis cinq ans, l'inspiration semblait le quitter. Plongé dans la rénovation de son atelier, Brad se donnait un mal fou pour ce local, certes original, mais qu'il aurait pu louer n'importe où ailleurs.

Les immenses murs blancs portaient des traces de peinture fraîche. De toute évidence, les travaux étaient loin d'être terminés.

Néanmoins, Eve le trouva chaleureux et hospitalier. Comme Brad s'excusait de les recevoir dans ce chantier, Eve le rassura chaudement. Une cinquantaine de personnes étaient déjà arrivées. Quelques-unes dansaient déjà, tandis que les autres se pressaient autour du buffet. L'ambiance promettait d'être sympathique.

Rapidement Eve et Penny se séparèrent. Cette fois, comme elle se sentait à l'aise, Eve n'éprouva nul besoin d'être présentée à droite ou à gauche. Cette indépendance lui convenait à merveille. Décidément, tout était dans l'humeur du moment !

En passant devant un chevalet, la jeune fille contempla attentivement les esquisses. Quel dommage de n'avoir pas pensé à prendre son appareil photo ! Les invités aussi offraient un spectacle cocasse. La plupart devaient être peintres ou dessinateurs. Devant la cuisine, elle aperçut un couple discutant avec animation art moderne et littérature. L'homme portait un jean maculé de peinture. La femme était sans doute écrivain.

Amusée, Eve les écouta un instant. Puis, comme leur conversation tournait au flirt, elle se sentit indiscrète et s'éclipsa.

S'arrêtant devant le buffet, elle grignota quelques canapés et continua à observer l'assistance. Un autre couple attira son attention et lui arracha un sourire amusé.

La femme arborait un invraisemblable sari de soie multicolore qui devait comporter des mètres et des mètres de tissu bariolé. Quant à son cavalier, il était vêtu comme un danseur de ballet. Sa chemise bouffait sur un pantalon moulant qui ne cachait rien de son anatomie.

Ce folklore new-yorkais lui parut à la fois original,

distrayant et elle imagina les commentaires pointus de sa famille devant une telle assemblée. Eve aimait les siens, le Vermont, mais décidément son cœur était ici.

Comme elle tournait la tête, elle aperçut une haute silhouette qui l'observait sans doute depuis un bon moment. L'homme se tenait appuyé contre le mur. Il fit un mouvement pour se diriger vers elle. C'était Ray.

Sa première impulsion fut de lui tourner le dos. Ray était la dernière personne qu'elle avait envie de voir ce soir. L'affronter, lui parler était au-dessus de ses forces après la semaine de tourments qu'elle venait de traverser. La confrontation serait trop pénible. Lentement, elle se dirigea vers la cuisine, avec l'intention de prévenir Penny. Elle ne pouvait plus rester. Ce n'était vraiment pas la peine d'essayer de se changer les idées pour rencontrer de nouveau l'homme qui l'obsédait.

Tout en marchant, elle se raisonnait. Allait-elle se laisser gâcher cette soirée par Ray Halpern ? Perdre l'occasion de connaître davantage de monde, filer comme une coupable pour lui laisser le champ libre ? Il n'en était pas question.

Elle s'arrêta et jeta un coup d'œil par-dessus son épaule. Ray s'était arrêté au milieu du salon, hésitant. Il avait perdu sa trace et la cherchait parmi les invités. Le studio était vaste et bondé. Après tout, elle pouvait rester et lui échapper en se mêlant aux danseurs. Avec un peu de chance, quelqu'un l'inviterait bien à danser. Fermement décidée à profiter de sa soirée, la jeune fille se dirigea vers une fenêtre. Les lumières de Greenwich Village illuminaient Broadway. Vus du huitième étage, les voitures et les promeneurs ressemblaient à des jouets miniatures.

Une main se posa sur son épaule.

— Voulez-vous m'accorder ce slow ?

Enfin quelqu'un surgissait pour la délivrer ! Eve se retourna, ravie, mais son sourire resta figé sur ses lèvres. Ray se tenait devant elle.

— Oh ! C'est vous ! laissa-t-elle échapper.

— Oui, c'est moi, répliqua-t-il avec un pâle sourire. Pourquoi ne danserions-nous pas ?

— Non, merci.

Froidement, Eve tenta de l'écarter. Ray la retint par le bras.

— Allons, ne soyez pas ridicule. Je ne vais pas vous manger !

— Je m'en doute !

— Alors cessez de vous conduire comme une enfant.

C'était le comble. Eve rejeta ses cheveux en arrière et leva vers lui un menton frondeur.

— Très bien, puisque vous insistez tellement !

Ce ne serait pas un petit tour de piste qui changerait quoi que ce soit. Mais, à peine fut-elle dans ses bras qu'elle révisa son jugement. Elle venait de faire une magistrale erreur !

Ray la serra étroitement contre lui. Son corps musclé éveilla un torrent de souvenirs auxquels elle ne put résister. De nouveau envoûtée, Eve se laissa bercer par la chanson d'amour sur laquelle ils évoluaient trop lentement. Il avait appuyé sa joue contre ses cheveux et il fredonnait contre son oreille comme la première fois. Comment avait-elle pu se laisser piéger de la sorte ?

A peine la danse s'acheva-t-elle que la jeune fille prit du recul. Peine perdue. Ray l'attira de nouveau contre sa poitrine. Elle osa enfin le regarder. Ray affichait une innocence désarmante.

— Que devenez-vous ? demanda-t-il, rompant enfin le silence.

— J'ai beaucoup de travail. J'ai été très occupée.

— Des succès ?

— Quelques-uns. Et vous ?

— La même chose. Je me lève à six heures du matin et j'effectue dix à douze heures de pose pour l'agence, presque sans répit. Presque toutes mes soirées sont prises par des réceptions dans le genre de celle d'où vous vous êtes enfuie. Vous vous souvenez ?

Il souligna ces dernières paroles d'un coup d'œil insistant. Eve eut alors la conviction que Ray tenait à cette confrontation. Dans l'espoir de changer le cours de la conversation, elle riposta légèrement :

— A cette période de l'année, tout le monde est en pleine effervescence.

Ray, pas dupe, continua imperturbablement :

— Vous savez, je dois vous avouer que je suis énormément surpris de vous rencontrer ici.

— Ah bon ? Pourquoi ? répondit-elle tout en se détestant pour ce ton badin.

— Je croyais que vous n'aimiez pas ce genre de soirée.

Le disque s'achevait. Eve sauta sur l'occasion de s'échapper. Malheureusement, Ray la prit par la main et l'entraîna dans un coin de l'atelier.

— Observez bien les invités, reprit-il en désignant l'assistance. Une bonne partie des gens qui sont ici se trouvaient également chez moi.

Eve écarquilla les yeux. D'autres personnes étaient arrivées après elle et elle reconnut, effectivement, quelques silhouettes.

— Comme vous pouvez le constater, continua

80

Ray impassible, Bobby est des nôtres et Lois également.

La jeune fille venait de les apercevoir. Les battements de son cœur s'accélérèrent. Décidément, elle ne pouvait faire un pas sans se heurter à cette femme. C'est donc que Ray l'emmenait partout avec lui ! Comment osait-il la narguer aussi cruellement ?

— Certes, la réception de Brad est plus hétéroclite. Il y a davantage d'artistes, mais les mannequins ne sont pas exclus. Aussi, permettez-moi d'exprimer ma surprise de vous voir parmi eux. Comment se fait-il que vous n'ayez pas déjà pris la poudre d'escampette ? Chez Brad, vous ne détestez plus mes amis ?

Eve leva vers lui un regard de noyée. Que répondre à de tels arguments ? Raffermissant sa voix, elle parvint à déclarer sèchement :

— Tout est question d'ambiance.

— Balivernes ! Trouvez autre chose pour votre défense.

— Je n'ai pas à me justifier, figurez-vous, déclara-t-elle, furieuse. Je suis venue à cette soirée avec Penny et il se trouve que l'atmosphère qui règne ici est infiniment plus chaleureuse que l'air que l'on respirait à votre réception. Point final.

Une moue ironique déforma les lèvres de Ray.

— Décidément, Eve, vous avez une curieuse conception des gens. Sans doute estimez-vous cette assemblée plus intellectuelle ? Rien ne m'en fera démordre : vous méprisez totalement le milieu dans lequel j'évolue. Pourtant, vous êtes bien heureuse de nous tenir au bout de votre appareil photo car nous vous faisons vivre !

Une paire de gifles ne l'aurait pas plus blessée.

Eve devint cramoisie. Comment osait-il l'insulter de la sorte ?

— Et vice versa ! répliqua-t-elle vertement. A mon tour de vous rappeler que, sans les photographes, votre belle prestance et le joli visage de Lois n'auraient aucune chance de se faire remarquer du public !

Ray releva des sourcils étonnés. Il la dévisagea avec stupéfaction.

— Lois ? Mais que vous a-t-elle donc fait ?

Encore une fois, il prenait sa défense. Un flot d'amertume inonda la jeune fille. Aucune explication ne pouvait aboutir ! Si Ray Halpern s'obstinait à croire qu'elle méprisait son métier, certes, il avait raison de protester. Mais il se trompait ! Incapable d'exprimer ses sentiments en public, Eve se sentit impuissante.

Devant une telle injustice, elle se retrouva faible, désarmée. Un flot de larmes jaillit de ses yeux. Elle dégagea son bras brusquement et le bouscula pour passer tandis que, sur son passage, quelques invités se retournaient avec étonnement.

— Eve !

Une expression consternée avait envahi le visage de Ray. Mais Eve était déjà loin. Sans prévenir Penny ni prendre congé de Brad, pour la seconde fois elle s'enfuyait. Elle fuyait encore devant Ray qui, décidément, ne parvenait pas à la comprendre.

Chapitre 9

UNE NOUVELLE COMMANDE DE *ARTBEAT* SAUVA EVE DE LA dépression. Il n'en resta pas moins que les jours suivants furent épouvantables. A la fois honteuse et misérable, Eve en conclut que jamais Ray ne comprendrait son attitude. Ou bien il était sincère, ou alors il masquait à merveille sa trahison.

Le milieu de la mode comprenait des centaines de mannequins. Virginia Stein employait certainement d'autres filles que Lois! Pourquoi cette dernière se trouvait-elle sans cesse avec lui? L'image de Bobby lui traversa l'esprit. Lui aussi accompagnait Ray dans presque toutes les réceptions.

Heureusement, son entourage se montra discret et plein de tact. Phil fut le premier à remarquer sa pâleur. Etait-elle souffrante? Non. Il n'insista pas.

Quant à Penny, elle se montra d'une rare délicatesse. Sans doute avait-elle tout deviné, mais elle se garda bien de demander la moindre explication sur les raisons de sa fugue. En revanche, elle l'invita plus souvent le soir et lui proposa maintes distractions.

Eve lui en fut infiniment reconnaissante.

Trois semaines plus tard, le printemps faisait son apparition. L'air était doux, parfumé. Central Park ressemblait à un océan de verdure. Jamais saison ne lui parut plus cruelle. Cette nature luxuriante, le chant des oiseaux, la bonne humeur des passants semblaient la narguer et se moquer de son chagrin. La jeune fille avait encore maigri et vivait un peu comme un automate.

En arrivant à *Artbeat* pour développer un dernier rouleau de photos, elle croisa Phil dans le couloir.

— Eve, cela me fait plaisir de vous voir. Comment allez-vous, mon petit ? demanda-t-il avec bonhomie.

— Bien, répondit-elle d'un ton monotone.

— Venez dans mon bureau, nous allons boire une tasse de café, j'ai à vous parler.

Eve ne fit aucune objection. Elle s'assit docilement sur une chaise, les mains croisées sur ses genoux, l'esprit absent.

— Si nous faisions un peu le point ? lança Phil tout de go. Vous me semblez éreintée depuis quelque temps. Vous êtes encore plus mince et vos yeux ont perdu ces petites étincelles qui les faisaient pétiller. Que se passe-t-il ? Puis-je faire quelque chose pour vous aider ? Ne voulez-vous pas me confier vos soucis ?

Profondément émue, Eve essaya de faire bonne figure.

— Mais non, Phil, tout va très bien, je vous assure. Peut-être ai-je travaillé un peu trop ces derniers temps. Vous savez ce que c'est.

Elle se demanda s'il allait avaler son mensonge. Il lui était impossible de partager son problème avec

Phil, si gentil soit-il. Elle était la seule concernée et bien décidée à s'en sortir toute seule.

— S'il s'agit seulement du travail, vous devriez prendre un peu de vacances, proposa Phil en la contemplant avec bonté.

— Oui. Vous avez peut-être raison.

Elle se leva, songeuse. Effectivement, du repos ne lui ferait pas de mal. En se levant, la jeune fille se félicita de n'avoir pas confié ses soucis au rédacteur. Souvent, ses parents lui répétaient de ne pas parler de sa vie privée au travail. Ils avaient raison.

— En tout cas, merci, Phil. C'est une chance de vous avoir pour patron. J'aime beaucoup travailler avec vous.

— Moi aussi, Eve.

Elle s'éclipsa et fila dans le laboratoire. Lorsque la dernière pellicule fut développée, elle alla se laver les mains et son reflet dans la glace l'effraya. Rien d'étonnant que son entourage fût alarmé ! Ses yeux étaient entourés de larges cernes. Ses joues, creuses ; son teint, livide. Bref, si elle ne prenait pas garde, une sérieuse dépression la menaçait.

Il était temps de rentrer à la maison. Le *Memorial Day* donnait lieu, cette année, à un long week-end. Quelques jours à la ferme natale la remettraient sur pied ! Ses parents seraient ravis de la revoir et de la choyer. Désormais, elle pouvait s'offrir un peu de repos. A son retour, son travail y gagnerait.

Cette idée ancrée dans sa tête, Eve décrocha le téléphone sitôt rentrée dans son appartement.

Ainsi que prévu, ses parents se montrèrent enchantés.

— Quand arrives-tu ? lui demanda son père.

D'un seul coup, New York lui parut trop bruyant,

surpeuplé et irrespirable. Le Vermont devait être superbe, à cette époque de l'année.

— Demain, décida-t-elle soudain.

Des exclamations enthousiastes saluèrent sa déclaration et la jeune fille raccrocha, soulagée.

Ce ne serait pas deux jours qu'elle s'offrirait, mais une grande semaine de vacances. Eve tira sa valise du placard et commença à y empiler ses vêtements. La perspective d'un bref répit ranima son énergie.

Le lendemain, elle prit l'autocar à neuf heures du matin. Les rues étaient encore désertes : de toute évidence, en ce jour de congé, les New-Yorkais n'étaient pas encore levés. Personne ne vint s'asseoir à ses côtés et Eve en profita pour s'assoupir.

Lorsqu'elle rouvrit les yeux, le car se trouvait déjà en plein Connecticut. La beauté de la nature renaissante parvint à l'apaiser : des champs vert tendre, des arbres en fleurs, un ciel bleu et ensoleillé. La jeune fille but une gorgée de café de sa bouteille Thermos et elle mangea ensuite quelques gâteaux secs. Mais rien ne la ravit davantage que les premiers troupeaux de vaches ruminant paisiblement dans les prés. Sans doute devenait-elle sentimentale, car ce spectacle lui réchauffa le cœur.

Aux abords du Vermont, le paysage changea insensiblement. Les premières collines se dessinèrent à l'horizon. Incontestablement, le printemps avait du retard dans cette région. Les arbres étaient encore en bourgeons.

Tout excitée, Eve rangea son livre, mit de l'ordre dans son sac de voyage et attendit avec impatience l'arrêt de l'autocar. Certes, cette longue station assise l'avait courbatue mais elle se réjouissait déjà de l'arrivée.

— Maman !

Quelques minutes plus tard, Eve sautait au cou de sa mère. Une grosse boule noua sa gorge. Jamais elle n'aurait imaginé que son retour puisse tellement l'émouvoir. Mme Forsythe mit la valise dans le coffre et la voiture roula bientôt vers la maison.

— Comment vas-tu, mon bébé ? demanda-t-elle tendrement, après un bref coup d'œil sur sa fille.

Elle n'était pas du genre à tirer des conclusions hâtives mais, bien évidemment, les traits tirés d'Eve ne lui avaient pas échappé.

— Je vais bien, maman. J'ai travaillé dur ces derniers temps et je pense qu'avec un changement d'air, ta bonne cuisine et beaucoup de sommeil, je retrouverai vite ma forme.

Sa mère dut se contenter de cette explication et se garda bien d'insister. Eve adorait ses parents, mais elle ne s'était jamais montrée loquace au sujet de ses sentiments. Tous deux avaient aujourd'hui près de soixante-dix ans et considéraient que leur fille était assez grande pour résoudre ses propres problèmes.

Le crépuscule était presque tombé lorsqu'elles parvinrent à la ferme. Eve éprouva le même bonheur à revoir son père dans son décor familier. Se dirigeant vers les écuries, elle salua aussi Lilian, sa vieille jument.

Quand Eve voulut aider sa mère à préparer le dîner, celle-ci répondit gaiement :

— Va t'asseoir et repose-toi. Tu as voyagé toute la journée, laisse-moi te servir aujourd'hui. Ce n'est pas le travail qui te manquera ici les jours prochains ! C'est si bon de te revoir.

Eve s'assit sur la terrasse. Les derniers rayons du soleil couchant teintaient de rose les collines et une brise fraîche lui apportait les senteurs de la terre humide.

La jeune fille ferma les yeux. New York lui sembla soudain terriblement lointain. Sa fatigue diminuait déjà. Elle poussa un soupir. Ce retour aux sources lui faisait grand bien. Ici, il lui serait possible de tout oublier, y compris ses responsabilités professionnelles. Ce serait une sorte de trêve, d'entracte entre hier et demain. Il lui suffirait de ne penser à rien et de se laisser aller, en vol plané, comme un oiseau...

A vivre au ralenti, Eve ne tarda pas à recouvrer ses forces. Le matin, elle aidait sa mère dans le potager. Ses parents se levaient à l'aube. Son père passait les premières heures du jour à lire dans son bureau tandis que son épouse prenait un plaisir évident à évoquer avec Eve mille anecdotes sur son enfance.

Ce jour-là, l'air était si doux que la jeune fille décida de monter à nouveau Lilian en fin d'après-midi. Toute angoisse avait disparu. Eve ne cherchait nullement à comprendre, mais l'ambiance familiale avait opéré le miracle. Nostalgique, elle se remémora les grandes chevauchées qu'elle faisait jadis avec sa monture. La pauvre était déjà bien vieille, mais sûrement d'attaque pour une promenade paisible. Lilian hennit joyeusement lorsque Eve vint la seller. Elle non plus n'avait pas oublié. La course fut très agréable et, le lendemain, le temps était si radieux que la jeune fille projeta une plus longue randonnée.

Il était très tôt encore. Comme ses parents dormaient, elle descendit silencieusement pour préparer le café. Impatiente, Eve n'attendit pas leur réveil et se dirigea vers l'écurie.

Lilian hennit doucement en la voyant entrer. Peut-être fut-elle surprise d'être réveillée avant le jour. Eve effleura son chanfrein d'une main affectueuse, lui donna un sucre et la sella rapidement.

Un instant plus tard, la vieille jument trottait allégrement en direction de la colline. A l'orée de la forêt, elles s'engagèrent dans un petit sentier. Captant la lumière, des toiles d'araignées fraîchement tissées scintillaient dans la rosée. Eve se baissa pour éviter une branche et chuchota à l'oreille de Lilian :

— Au ruisseau ! Tu te souviens, n'est-ce pas ?

L'animal fit demi-tour, il avait compris. La rivière avait toujours été leur promenade de prédilection. L'eau, peu profonde, serpentait à travers bois. L'endroit était délicieusement frais. Lorsqu'elle était enfant, Eve allait souvent s'y baigner. C'était le merveilleux refuge des étés torrides.

Lorsqu'elles arrivèrent au rivage, Eve reconnut les lieux avec ravissement. Evidemment, il ne faisait pas très chaud mais la tentation était trop forte ! Un pèlerinage est un pèlerinage, il faut en accomplir le rituel.

Eve se déchaussa pour prendre la température de l'eau.

— Aïe !

Immobile sous un arbre, Lilian la contemplait d'un œil dubitatif.

— Ne me regarde pas comme ça, Lilian ! Crois-moi ou non, je vais y aller !

Un instant plus tard, la jeune fille se débarrassait de ses vêtements et entrait résolument dans le ruisseau. Elle faillit suffoquer. Des aiguilles de glace picotèrent sa peau. Elle se rhabilla vite en grelottant. Pourtant, elle ne s'était jamais sentie aussi bien.

Un petit temps de galop finit de la réchauffer. Cette fois, elle laissa sa monture la conduire où bon lui semblait et, lorsque Lilian s'arrêta, elles se trouvaient à l'orée de la forêt.

Des champs bruns et verts s'allongeaient devant elles. Une route de terre conduisait à une ferme isolée. Sans quelques traces de pneus, Eve aurait pu la croire abandonnée. Auparavant, elle ne s'était pas aventurée de ce côté-là. Au bout d'un moment Eve se repéra et elle continua la promenade. La terre était pauvre. Au loin, on pouvait deviner çà et là d'autres bâtisses mal entretenues. Tout à coup, en passant devant des granges, Eve comprit brusquement qu'il s'agissait de la partie du Vermont où Ray Halpern était né. Son cœur se serra. A croire qu'il la poursuivait partout !

Démoralisée, Eve reprit le chemin du retour et traversa à nouveau l'épaisse forêt qui servait de frontière entre les deux comtés.

Elle ramena Lilian dans son box. Après l'avoir étrillée et nourrie, Eve remonta dans sa chambre. Cette équipée l'avait épuisée et, se laissant tomber sur son lit, elle dormit trois grandes heures.

Il était près de deux heures de l'après-midi lorsque la jeune fille s'éveilla.

— Quelle paresseuse, je fais ! dit-elle en rejoignant sa mère à la cuisine.

— C'est que tu en as besoin, déclara celle-ci.

Assise devant la table, Mme Forsythe dressait une longue liste de courses. Eve s'en empara.

— Laisse-moi aller à la ville et repose-toi à ton tour, lui dit-elle, satisfaite de pouvoir lui rendre service.

— J'accepte avec plaisir.

Eve sortit la voiture du garage, prit la direction d'Eversville, l'agglomération la plus proche. Ayant garé son auto dans la rue principale, la jeune fille s'engouffra dans le supermarché. Elle s'empara d'un caddie dont, bien entendu, les roues refusèrent de rouler dans la même direction et elle éclata de rire. Le second ne se révélant pas meilleur, Eve déclara forfait. Comme elle relevait la tête, son sourire se figea...

Non... Ce n'était pas possible... Etait-ce une hallucination ? Le destin avait-il manigancé cette rencontre ?

Ray Halpern s'avançait vers elle.

Eve resta pétrifiée. Pourtant, en son for intérieur, une petite voix lui souffla que le hasard faisait bien les choses. Cette rencontre ne ressemblait pas aux autres. Après ces quelques jours de détente, Eve n'était plus la même.

Ici, dans sa campagne paisible, elle sentait qu'elle pourrait laisser parler son cœur.

Chapitre 10

— **BONJOUR, DIT-ELLE TRANQUILLEMENT.**

Ray parut beaucoup plus troublé.

— Eve, je pensais à vous il y a quelques minutes. Je me demandais si vous viendriez chez vous pour les fêtes.

Il s'interrompit pour l'observer attentivement, visiblement heureux de la revoir. Eve le laissa continuer.

— Maintes fois, j'ai eu envie de vous appeler après cette horrible soirée mais je ne savais pas si vous aviez envie de me parler. Je vous prie de me pardonner. Je me suis montré odieux, je l'ai compris trop tard pour m'excuser. Tout est ma faute.

Une lueur sincère brillait dans son regard et la jeune fille ne sut que répondre. Elle ne souhaitait pas lui avouer l'épreuve qu'elle venait de traverser. Pourquoi exhumer sans cesse le passé alors qu'elle avait réussi à l'oublier depuis quelques jours ?

— N'en parlons plus. Nous avons tous deux été fautifs.

Ray n'insista pas. Elle lui en fut reconnaissante.

92

— Cela a dû vous faire plaisir de revoir les vôtres. C'est bon de se retrouver chez soi, n'est-ce pas ?

— Oui. Je n'étais pas revenue ici depuis six mois.

Elle lui sourit et continua :

— J'aide maman à jardiner, je passe des heures à lire et je monte ma vieille jument. Voici des mois que cela ne m'était pas arrivé. Le printemps est merveilleux ici, ne trouvez-vous pas ?

— Certes.

Avec sa chemise de flanelle écossaise et son jean délavé, Ray semblait n'avoir jamais quitté ce pays. Elle-même se sentait tellement différente ici ! New York les avait rendus un peu artificiels.

— Eve, reprit-il en l'arrachant à ses pensées, puisque nous voici de retour chez nous et que nous avons enterré le passé, voulez-vous m'accompagner au cinéma ce soir, comme nous le faisions lorsque nous sortions du collège ?

Devant son hésitation, il ajouta gaiement :

— Je vous promets de me conduire en parfait gentleman.

Elle n'eut pas le cœur de refuser. Après tout, n'étaient-ils pas voisins ? Les mannequins, les photographes et même Lois n'étaient plus là pour les perturber. Ils étaient en vacances. Eve accepta.

Le soir, la jeune fille s'habilla avec une agitation presque juvénile. Elle enfila une simple jupe de tweed et une chemise de laine. Ses yeux brillaient comme ceux d'une adolescente.

Lorsqu'il vint la chercher dans la vieille voiture de son père, Eve se mit à rire, imaginant déjà cette soirée qui promettait de lui rappeler ses quinze ans.

Le film lui-même était vieillot et ils évoquèrent en riant les comédiens qui, jadis, avaient fait leurs délices.

Ray avait acheté un cornet de pop-corn. Tout en suivant les exploits de Tyrone Power, ils se partagèrent leur festin. Il y avait longtemps qu'Eve ne s'était autant amusée.

Après le cinéma, il l'emmena manger une glace, puis ils déambulèrent dans les rues devenues désertes, échangeant des souvenirs d'enfance. La jeunesse de Ray n'avait pas été très gâtée. Il avait travaillé de bonne heure et connu tôt le monde des adultes. Eve avait profité plus longtemps de ses belles années, fréquentant des clubs et des cours de danse. Ray lui dit aussi avoir suivi ses études dans la ville voisine où l'école était moins onéreuse.

Au bout d'une heure de marche, la jeune fille étouffa un bâillement. Ray protesta immédiatement.

— Je vais vous ramener chez vous. Vous auriez dû me dire que vous étiez fatiguée. L'air de la campagne épuise toujours au début.

Certes, elle avait sommeil mais aucune envie de rentrer. Pourtant, fidèle à la promesse qu'elle s'était faite, elle ne protesta pas.

Lorsqu'il arrêta sa voiture devant le porche, il rejeta la mèche qui tombait sur son front et tourna vers elle un regard limpide.

— Faisons un pique-nique demain. Il y a un endroit que j'aimerais vous montrer avant de rentrer à New York. Nous pourrions partir en fin de matinée et emporter le déjeuner ?

Tout était si simple ici qu'Eve ne put refuser. D'ailleurs elle n'en avait aucune envie.

— Oui, cela me ferait plaisir, dit-elle.

Ray effleura sa joue d'un baiser amical. Eve n'y vit aucune arrière-pensée et ils se séparèrent comme deux camarades.

— Je vous appelle demain matin! lui cria-t-il.

— C'est entendu.

Ses parents étaient couchés lorsqu'elle regagna sa chambre. Elle se déshabilla et se glissa dans son lit. Son cœur battait comme celui d'une gamine. Néanmoins, l'expérience de ces derniers mois lui avait appris quelque chose : on n'est jamais sûr de ses sentiments et encore moins de ceux des autres!

A peine sa tête toucha-t-elle l'oreiller que la jeune femme sombra dans un profond sommeil.

Ce fut la voix de son père qui l'éveilla.

— Eve! On te demande au téléphone!

Elle savait d'où venait l'appel. En descendant l'escalier, elle essaya de maîtriser son impatience.

— Est-il trop tôt ? demanda Ray en entendant sa voix un peu endormie.

— Non, mais je suis devenue terriblement paresseuse à la campagne.

— Eh bien! ne vous pressez pas. Je vais tout préparer et je passerai vous prendre dans deux heures. Cela vous convient-il ?

— Parfaitement.

Eve prit une douche, enfila un chemisier jaune et un jean. Lorsque Ray arriva, elle était prête pour l'aventure! Il sauta légèrement de la voiture, gravit le perron et fut chaleureusement accueilli par les Forsythe.

Après l'échange de politesses, Eve prit congé de ses parents sous le regard malicieux de sa mère. Elle s'empourpra. Son plaisir était-il si évident ?

La voiture de Ray ne tarda pas à s'engager sur une route de montagne, totalement inconnue de la jeune femme, qui serpentait dans une forêt épaisse. A peine les rayons du soleil parvenaient-ils à percer le feuillage. Eve pensait avoir arpenté toute la région durant son enfance. Eh bien, elle se trompait !

Ray s'arrêta dans une clairière et se tourna vers sa compagne pour juger de son expression.

— C'est ravissant, ici ! s'exclama-t-elle.

— J'étais sûr que vous aimeriez. J'ignore à qui appartiennent ces terres mais, de tout temps, je les ai considérées comme mon propre territoire. J'avais envie de vous le faire partager.

Eve, avec un regard ému, descendit de son siège. Ray s'empara du panier à provisions.

— Continuons ce chemin à pied. Il grimpe un peu mais ensuite la vue est superbe.

Côte à côte, ils escaladèrent la pente en silence. Les oiseaux gazouillaient, l'air était doux et peu à peu Eve se sentit envoûtée par le calme des lieux. Lorsqu'ils parvinrent en haut de la colline, un panorama de rêve les accueillit. Certes, cette partie du Vermont était pauvre et la terre misérable ; en revanche le site lui parut grandiose.

— Quel endroit merveilleux ! dit-elle en s'approchant d'un rocher.

Ray lui tendit la main pour l'aider à grimper et ce contact fut suffisant pour la faire frissonner. Elle se retourna vers lui et leurs regards se croisèrent. D'un seul coup, le paysage cessa d'exister. Pendant quelques minutes, ils demeurèrent silencieux. Puis Ray sauta lestement à terre et commença à déballer les provisions. Eve vint le rejoindre et étendit la couverture sur le sol. Elle s'agenouilla et brusquement, sans comprendre comment, la jeune fille se retrouva dans ses bras.

— Je vous avais promis d'être sage, murmura-t-il, mais je ne peux pas attendre plus longtemps. Oh ! Eve ! Vous m'avez tellement manqué !

Il l'allongea doucement sur le plaid. Renonçant à toute prudence, Eve se blottit entre ses bras.

— Moi aussi, avoua-t-elle.

Vaincue, elle déclara forfait. Leurs caresses réveillèrent des souvenirs brûlants, dépouillés de toutes les ombres qui les avaient séparés. L'émerveillement l'inonda et, dans un élan de sincérité, elle ajouta :

— Je vous aime.

Une immense émotion se peignit sur les traits de Ray. Sa bouche s'empara de la sienne, lentement ses mains parcoururent son corps. Le temps s'arrêta.

— Eve, pourrez-vous jamais me pardonner ? Moi aussi, je vous aime tant.

Pardonner quoi ? Le passé n'avait jamais existé. Ici, ils étaient seuls au monde, dans un univers taillé pour eux. New York était oublié. Chaque geste retrouva sa magie initiale, rituelle.

Ray déboutonna lentement son chemisier et posa ses lèvres sur son cou. Eve laissa échapper un gémissement de bonheur.

— J'ai envie de vous, maintenant, chuchota-t-il.

Il ôta rapidement ses vêtements et acheva de faire glisser ceux de la jeune fille. Le soleil fut le seul témoin de leur union. Sans aucune timidité, elle prit l'initiative et ce fut elle qui lui offrit le plaisir. Ils ressentirent, ensemble, l'immense bonheur de l'amour partagé. Puis, ils ne bougèrent plus, épousant l'immobilité de la nature.

Eve fut la première à rouvrir les yeux et à esquisser un mouvement. Ray s'était laissé rouler sur le dos et, lorsqu'elle se redressa, il protesta.

— Ne partez pas, ma fée.

Elle eut un rire clair, enfila son chemisier, contempla amoureusement son compagnon.

— La fée meurt de faim, dit-elle simplement.

Ray ne bougea pas. Eve se pencha, posa un baiser sur son nez et ajouta :

— Je suis affamée et pas seulement de vous !

Cette fois, il bondit sur ses pieds, commença à se rhabiller. Un instant plus tard, il débouchait une bouteille de vin du Rhin et lui tendit un verre.

— Quel délice ! murmura Eve.

Le pain, le fromage et le poulet froid reçurent le même accueil enthousiaste. Pendant un moment, ni l'un ni l'autre n'éprouvèrent le besoin de parler. Assis côte à côte, ils partageaient la conviction que cet instant ne pouvait cesser. Ils s'étaient retrouvés de la façon la plus simple. Pourquoi leur première rencontre n'avait-elle pas eu lieu ici ?

Eve s'appuya contre son épaule, Ray glissa son bras autour de sa taille et il posa sur elle un regard brûlant de passion.

— Croyez-vous que nous pourrons tout recommencer à zéro ? chuchota-t-il enfin.

— J'en suis sûre.

— Même lorsque nous nous reverrons à New York ?

Elle aurait préféré ne pas répondre à cette question qui en entraînait tellement d'autres ! Qu'était vraiment Lois pour lui ? L'évocation de cette ville éveillait de nouveau trop de souvenirs, de doutes. Ici, ils auraient pu s'aimer jusqu'à la fin du monde !

— Je le crois, dit-elle cependant.

Eve se leva pour rassembler les restes du piquenique. La magie était brisée, mais leurs sentiments n'en étaient pas moins vivaces. Ray se précipita pour l'aider. Le soleil commençait lentement à descendre.

— Quand rentrez-vous à New York ? demanda-t-il.

— Dimanche.

Elle poussa un soupir. Il serait difficile de quitter ce paradis. Parviendraient-ils à le recréer sous d'autres cieux ?

— Et vous ? s'informa-t-elle doucement.

— Je dois regagner New York demain, répondit-il à regret.

Un voile de tristesse couvrit le visage de la jeune fille. Ray s'en aperçut car il l'attira vers lui et, prenant son visage à deux mains, plongea son regard dans le sien.

— Je n'oublierai jamais ce jour, mon amour. Puisse-t-il être le premier pour nous ! Un nouveau départ...

Eve le regarda avec ferveur.

— Oui, un nouveau départ, répéta-t-elle, confiante.

Mais qui peut présager de l'avenir ? Jamais elle n'aurait imaginé le revoir ici. Certes, ce séjour dans le Vermont avait cicatrisé ses blessures mais elle était d'autant plus vulnérable qu'elle l'aimait plus que jamais.

Chapitre 11

AU MOMENT OÙ EVE REGAGNAIT SON IMMEUBLE, ELLE
aperçut Penny qui en sortait, un énorme sac de linge
à la main.

— Penny ! Comment vas-tu ?

Son amie se retourna et son visage s'illumina.

— Eve ! Tu es enfin de retour ! Laisse-moi te
regarder.

Penny posa son chargement pour la serrer dans
ses bras.

— Dis donc ! Tu as une mine superbe. Le Vermont t'a donné de belles couleurs mais d'où vien-
nent ces yeux brillants ? Dis-moi, qui était-ce ? Un
jeune et séduisant fermier ?

Eve éclata de rire.

— Non. C'est une longue histoire que je te racon-
terai plus tard. Je suis vraiment contente de te
revoir, j'ai l'impression d'être partie depuis des
mois.

Puis, avisant la pile de draps que Penny portait
dans une laverie, elle ajoute gaiement :

— File, je te verrai tout à l'heure.

— C'est entendu. Dînons ensemble.

A peine fut-elle dans son appartement qu'Eve se surprit à attendre le coup de fil de Ray. Impatiente, elle commença à vider sa valise et à prendre connaissance de son courrier. Entre deux occupations, elle allait et venait, arrosait ses plantes, essuyait la poussière sans vraiment aller au bout de chaque tâche. Pourquoi Ray ne téléphonait-il pas ? Elle sortit des assiettes, mit la bouilloire sur le feu et Penny la rejoignit.

— Alors, raconte ! déclara-t-elle tout de go.

Eve sortit une pizza du congélateur. Un peu hésitante, elle se décida enfin à lui confier la suite de ses amours. Il fallait, bien sûr, remonter à cette première réception où Ray l'avait tant déçue. Anxieuse, Eve scruta l'expression de son amie, guettant sa réaction.

— Tu sais, je m'en doutais un peu, souligna doucement Penny.

Rassurée, Eve lui narra leur merveilleuse rencontre dans le Vermont. Désormais, tout semblait aplani entre eux, mais évidemment l'énigme de Lois n'était guère résolue.

— T'en a-t-il parlé ?

— Non, heureusement.

— Alors de quoi te plains-tu ? lança Penny avec un optimisme désarmant.

Eve ne répondit pas. Ici, Lois redevenait une menace. Dans le Vermont, Eve était arrivée à l'oublier.

Les deux jeunes femmes discutèrent tard dans la soirée. Le téléphone demeura muet.

Dès le lundi matin, Eve eut une nouvelle commande pour une petite revue. La routine reprit ses droits. Néanmoins, il lui était impossible de ne pas penser à Ray et surtout de ne pas déplorer son silence.

Pendant deux jours, elle résista à la tentation de lui téléphoner, puis un soir elle finit par décrocher son appareil. La sonnerie résonna longtemps. Ray n'était pas chez lui. Les pensées les plus folles lui traversèrent alors l'esprit : Ray ne voulait pas lui parler, aussi évitait-il de décrocher... Ray était dans les bras de Lois... Ray ! Elle se serait battue. Vraiment, elle avait l'art de tout dramatiser ! Toutefois, après ce qui s'était passé entre eux dans le Vermont, son silence demeurait suspect.

Finalement, le jeudi matin, le téléphone sonna au moment où la jeune fille allait sortir. Elle savait qui l'appelait.

— Allô, Ray ! lança-t-elle, spontanément.

Il se mit à rire.

— Allô, Eve ! Quel don de divination ! Comment allez-vous ? Vous me manquez... Etes-vous bien rentrée, dimanche ? Avez-vous pensé à moi ? J'ai été débordé de travail depuis mon retour, mais vous n'avez pas quitté mon esprit une seule seconde. Pouvez-vous venir dîner chez moi ce soir ?

Devant cette avalanche de questions, les doutes d'Eve s'envolèrent et un immense soulagement l'envahit.

— Dans quel ordre dois-je répondre ? C'est à peu près oui à tout, y compris le souper chez vous. Que dois-je apporter ?

— Vous. Vous seule.

— Je suis impatiente de vous revoir. Huit heures, est-ce trop tard ?

— Non. C'est parfait. Nous avons tant de choses à nous dire.

102

Eve raccrocha, le cœur en fête. Les nuages s'étaient dissipés, le ciel lui parut plus bleu que jamais. Le printemps chantait et, toute la journée, ses yeux pétillèrent. Cet appel venait de changer la couleur du temps. Son travail se déroula dans les meilleures conditions.

A six heures, elle était encore en ville, mais elle décida de rentrer pour se changer.

— Ouf ! lança-t-elle, en pénétrant dans son appartement.

Un peu de repos lui aurait fait du bien mais, si elle voulait être à l'heure chez Ray, il lui restait à peine quarante minutes pour prendre une douche et s'habiller.

Elle ne put empêcher une légère appréhension de traverser son esprit. Elle souhaitait si fort que tout aille bien...

Un coup d'œil sur sa montre lui suggéra de se presser davantage. Eve s'enroula dans une serviette éponge et se précipita dans sa chambre. Comment allait-elle s'habiller ?

La première fois que Ray l'avait reçue chez lui, il portait un jean et une chemise avec des allures de gamin. Aussi, après avoir hésité entre toutes ses robes, Eve opta pour la même tenue. Son chemisier rose pâle mettait en valeur son teint de blonde. Un collier fantaisie et des mocassins achevèrent sa toilette.

Après un coup de brosse sur ses cheveux, Eve se maquilla à peine. Sa mine superbe et ses yeux pétillants de santé ne nécessitaient aucun artifice.

Ray était entouré de jolies femmes à longueur de journée. Contre ces images de mode, Eve décida de jouer la simplicité et le naturel.

Leurs retrouvailles dans le Vermont avaient

donné lieu à un nouveau départ et chassé les vieux problèmes. Du moins l'espérait-elle. Avait-elle été sincère en lui avouant détester le côté factice et superficiel des mannequins ? Ou bien craignait-elle leur mépris pour sa simplicité ? Elle ne connaissait pas exactement le goût de Ray, il n'avait jamais fait d'allusion à ce sujet.

Voyant ses cheveux rebelles, un flot d'incertitude la rongea et lui fit perdre son assurance.

Machinalement, elle essaya une coiffure plus élaborée. Sans succès ! Les mèches refusaient de tenir en place. Tant pis, il devrait la prendre telle quelle !

La circulation lui fit prendre quelques minutes de retard et elle était exaspérée lorsque Ray lui ouvrit la porte.

— Enfin ! soupira-t-elle en se jetant dans ses bras.

Le calme revint lorsqu'il la serra contre lui. Cet instant la payait de toute sa longue journée d'attente. Soudain, il la lâcha.

— Mon rôti brûle ! s'exclama-t-il en bondissant vers la cuisine.

Avec un sourire amusé, Eve accrocha son sac et sa veste dans le hall, entra dans la salle à manger. La surprise lui coupa le souffle. Ray avait dressé une table élégante, ornée de fleurs et de chandeliers. Elle se retourna. Il arborait, ce soir, un costume clair, de coupe impeccable.

Effondrée, Eve jeta un coup d'œil misérable sur son jean et ses chaussures plates. Elle était maudite ! Encore une fois, son intuition l'avait trompée.

Ce malaise en éveilla un autre qu'elle avait déjà ressenti à la réception de Ray. Ne trouverait-elle donc jamais la note juste ? Mais après tout, il n'y avait aucune raison pour que Ray donne toujours le ton. La jeune fille chassa bien vite ce complexe d'infériorité qui devenait absurde. Leurs sentiments n'avaient aucun rapport avec leurs vêtements ! Tant pis si Ray y attachait trop d'importance.

— Une minute plus tard et c'était raté ! lança-t-il gaiement. Dans ce cas, il ne restait plus qu'à nous faire monter un repas chinois !

D'un ton faussement désinvolte, Eve riposta :

— Quelle table somptueuse ! Je me sens indigne de m'y asseoir. Ma place est plutôt dans la cuisine à laver la vaisselle !

Même si elle badinait, Ray perçut sa gêne. Il s'approcha, les yeux pétillants.

— Eve, chuchota-t-il, que dites-vous là ? Moins vous êtes vêtue, plus je vous aime.

Il la prit tendrement par les épaules pour la conduire vers le canapé.

— Nous avons juste le temps de boire quelque chose. J'ai préparé un cocktail exotique dont vous me direz des nouvelles !

Eve le regarda verser une pointe de menthe dans les verres.

— Comme c'est joli !

— A nous ! dit-il en levant son verre.

En dépit de sa bonne humeur, il semblait fatigué. Ses traits étaient tirés, il devait manquer de sommeil. Ses doigts caressèrent doucement les tempes de la jeune fille.

— Racontez-moi votre voyage de retour.

— Il n'y a pas grand-chose à en dire. L'autocar s'est arrêté à tous les villages mais cela ne m'a pas paru long, je n'ai pas cessé de penser à vous. Vous m'avez manqué beaucoup, beaucoup.

— Vous aussi, mais l'essentiel est d'être ensemble, maintenant.

Il se pencha sur elle, ses lèvres se promenèrent sur son cou, son menton, ses lèvres.

— Oh ! Eve, comme vous sentez bon...

Leurs bouches s'unirent et un tel bonheur envahit la jeune fille que des larmes brûlantes lui montèrent aux yeux.

— Ray, des moments comme celui-ci me font regretter tous ceux où je ne suis pas avec vous. Je suis jalouse de chaque seconde qui s'écoule. Je souffre de vous quitter.

Elle s'interrompit, regrettant déjà ces paroles. Imperceptiblement, les traits de Ray s'étaient tendus. Pourquoi vouloir bousculer les événements ? Sa réponse confirma parfaitement sa crainte.

— Ne pouvons-nous jouir du présent sans le gâcher avec de vains regrets ?

Une ombre tomba sur eux. Un petit tic nerveux agitait les mâchoires de Ray. Soudain glacée, Eve comprit qu'elle n'avait rien à attendre de lui que des petits moments de bonheur volés au quotidien.

— Eve, nous sommes ambitieux et nous avons tous deux de grandes responsabilités exigeant une disponibilité à la fois physique et intellectuelle.

— Je le sais !

— Chacune de nos rencontres doit être un rayon de soleil, un petit coin de paradis, un havre.

Eve acquiesça. Ses vieux doutes resurgirent.

— Allons, à table ! jeta-t-il pour couper court. Voulez-vous tourner la salade pendant que j'apporte le poulet ?

Il bondit sur ses pieds et la tira du sofa avec un sourire joyeux.

Un gaspacho ouvrait le festin. Dès la première cuillerée, Eve dut reconnaître en Ray un fin cuisinier. La volaille était cuite à point, la sauce à l'orange, parfaite.

— Vous vous êtes donné beaucoup de mal, c'est délicieux !

— Rassurez-vous, cuisiner me repose après les heures de travail.

— Etait-ce une dure journée aujourd'hui ?

— Pas plus que d'habitude.

— Vous me semblez vraiment éreinté.

Il hocha la tête.

— Non. Tout va bien.

Eve le trouva plus réservé sur son métier que d'habitude. Sans doute n'avait-il pas envie d'en parler. Elle lui énuméra quelques contrats intéressants récemment signés avec des journaux. En définitive, elle fut bientôt seule à alimenter la conversation. Ray mangeait en silence. De toute évidence, ses pensées étaient ailleurs.

— Vous m'écoutez ?

— Oui, bien sûr. Veuillez m'excuser, Eve, mais Virginia Stein s'est montrée particulièrement assommante, sous prétexte de relancer la publicité, elle a fait reprendre des photos de chaque mannequin. Il nous a fallu poser pendant des heures et je déteste attendre.

— Moi aussi ! Rien n'est plus désagréable.

Ray poussa un soupir.

— Heureusement, tous les jours ne se ressemblent pas. Bon, finissons ces plats et allons nous asseoir dans le salon, voulez-vous ?

Eve n'insista pas. Elle l'aida à desservir la table. Ray s'acquitta de sa tâche sans empressement. Certes, il était fatigué. Hélas, par moments, il donnait aussi l'impression d'avoir oublié son invitée.

Ses précédentes maladresses lui servant de leçon, Eve se garda bien d'intervenir et de le questionner.

Le nouveau lien tissé dans le Vermont était encore fragile, ténu. Eve craignait constamment qu'il ne se brise. Devait-elle considérer ces deux jours de bonheur comme un cadeau et ne rien attendre de plus ?

Ray rompit enfin le silence.

— Allons prendre le café. Je vous ai rapporté des gâteaux d'une pâtisserie italienne. Vous avez besoin de grossir un peu !

Un peu rassérénée par son ton taquin, Eve riposta de même :

— Bonne excuse pour en faire de même, monsieur !

— Croyez-vous que poser consiste uniquement à sourire avec un verre de gin à la main ? Je me suis davantage dépensé que sur un court de tennis !

Il entoura sa taille et l'aida à porter le plateau de gâteaux dans le salon. Ils s'assirent ensuite côte à côte et burent leur café à petites gorgées tout en se régalant des sucreries italiennes. Comme Ray ne parlait toujours pas, Eve lança, un peu contrite :

— Après une journée épuisante, il vous a fallu du courage pour préparer ce festin. A votre place, je serais morte.

— C'est bien, continuez de parler, j'adore le son de votre voix.

Il se blottit contre elle et ferma les yeux.

— Que voulez-vous entendre ? lui demanda-t-elle gentiment.

— N'importe quoi, racontez-moi ce que vous voulez.

Eve lui jeta un coup d'œil sceptique. Quelle étrange comportement pour un rendez-vous d'amoureux !

— Très bien... Que vous dire ? J'ai porté vos photos à la revue *Monsieur*. Je sais qu'ils travaillent déjà avec vous, mais j'espère qu'ils apprécieront mon reportage. Quoi d'autre ? Ah oui ! Penny projette un voyage en Europe pour cet été.

Elle s'interrompit, découragée. Mieux valait caresser doucement le visage de Ray. Il soupira de plaisir et s'installa plus confortablement sur le divan. Au lieu de la prendre dans ses bras, il se contenta de poser sa main sur la sienne. En vain Eve essaya-t-elle de se faire une raison et de cacher la déception qui commençait à monter en elle. Enfin quoi ! S'était-elle dérangée pour le regarder dormir ? Voici près d'une semaine qu'ils ne s'étaient revus !

Elle ne pouvait cacher son désappointement plus longtemps. Non seulement son amant ne trouvait plus la force de tenir debout, mais il n'avait pas davantage celle de parler !

Eve se redressa brusquement et s'empara de la cafetière.

— Encore un peu de café ?

Il parut revenir à la vie.

— Non, merci. J'en ai pris suffisamment. Je suis vraiment désolé de me montrer si peu brillant, mais la fatigue m'a terrassé d'un coup.

— Aussi était-ce ridicule de vous donner tant de mal pour le dîner. Nous pouvons nous contenter de grignoter quelque chose lorsque je viens, Ray.

— Vous n'avez pas aimé mon poulet ?

Il rouvrit un œil et l'observa. Percevant son changement d'humeur, il parut surpris.

— Je n'ai jamais dit cela. Vous êtes un grand chef. Il n'en reste pas moins que je ferais mieux de rentrer pour vous laisser dormir.

Cette fois, Ray se redressa.

— Avez-vous perdu la raison, Eve ? Croyez-vous que je vais laisser la femme de ma vie rentrer chez elle en échange de huit heures de sommeil ?

Eve poussa un soupir exaspéré.

— Ecoutez, vous me semblez vraiment ensommeillé ce soir, comme si vous n'aviez pas dormi de toute la semaine. Que faites-vous donc entre vos séances de pose ?

Pendant quelques secondes, Ray la dévisagea, perplexe, ne sachant comment interpréter cette question.

Malgré son précédent refus, il se versa une seconde tasse de café.

— Mon métier n'est pas de tout repos. On perd un temps fou à se changer, se rhabiller...

— Chacun de vous a-t-il sa propre garde-robe ?

— En principe oui, mais il nous arrive de procéder à des échanges.

Eve se rongea l'ongle du pouce.

— Vos collègues féminines ont également leur vestiaire, je suppose ?

Ray écarquilla les yeux.

— Evidemment, oui. Quelle drôle de question !

Elle put lire dans son regard une sorte d'étonnement mêlé d'ennui. Apparemment, le sujet ne l'intéressait guère. Par ailleurs, comme rien ne semblait le motiver, pourquoi ne pas continuer celui-ci plutôt qu'un autre ? A moins qu'il ne préfère raconter ce qu'il faisait le soir où Eve l'avait appelé sans succès. Décidément, Ray se dépensait beaucoup à l'extérieur et bien peu lorsqu'il se trouvait avec elle.

— Est-ce tout ce que vous désirez savoir ? demanda-t-il, un peu agacé.

Cette remarque acheva de la contrarier. Après

110

tout, il était normal qu'elle l'interroge sur ses journées. Ou bien ne voulait-il partager que de brefs moments, picorés par-ci, par-là ?

— Pourquoi vous montrez-vous si réticent lorsqu'il s'agit de vous ? Je n'ai aucune idée de la façon dont vous vivez. Est-il indiscret de m'intéresser davantage à ce que vous faites ?

— Miséricorde, Eve, je vous ai tout dit ! Allez-vous jouer au chat et à la souris plutôt que me dire ce que vous avez sur le cœur ?

Eve frémit. Ray lisait en elle comme dans un livre ouvert.

— Je ne vois pas ce que vous insinuez, protesta-t-elle.

Elle mentait très mal. Puisque la discussion était commencée, à quoi bon feindre davantage ?

— Très bien ! Pour ne rien vous cacher, je me sens un peu désorientée, ce soir. A se demander si vous aviez vraiment envie de me revoir. Après cette merveilleuse rencontre dans le Vermont, avouez que j'ai des raisons de m'interroger sur votre changement d'humeur.

Comme Ray ne répondait pas, elle continua sur sa lancée.

— Ne croyez surtout pas que je vérifie vos faits et gestes. Mais n'est-il pas normal que je veuille en savoir davantage sur vous, sur votre vie quotidienne, vos pensées ? Si deux personnes souhaitent vivre ensemble, l'intérêt qu'ils se portent dépasse la simple curiosité. Je ne suis pas jalouse de vos amis, mais encore faut-il être honnête envers moi !

Eve se mordit les lèvres. Ses dernières paroles manquaient de la plus élémentaire logique. Bien sûr que si, elle était jalouse ! Ray eut un rire désabusé.

— Pour l'amour de Dieu, Eve ! Comment vous

convaincre ? Oui, je suis fatigué ce soir et je m'en excuse. Cela m'arrive souvent : je commence à six heures du matin et les journées sont longues. Vous risquez de me revoir ainsi souvent, autant que vous le sachiez. Peut-être devriez-vous vous montrer plus tolérante à l'égard des gens que je fréquente le soir. Ce sont ceux avec qui je travaille dans la journée. En revanche, c'est trop me demander que vous en dresser la liste ou vous décrire les relations qui nous unissent. Etait-ce ce que vous espériez ?

Ce petit discours condescendant eut le don de ranimer sa colère. Il la traitait comme une enfant. Perdant tout contrôle, Eve explosa :

— Non ! Tout compte fait, je me moque éperdument de vos amis ! Par contre, lorsque je viens vous voir, j'aimerais que vous retrouviez un peu d'énergie, ne serait-ce que pour vous apercevoir de ma présence ! Tant qu'à demeurer assise dans un coin, autant rester chez moi !

— Eve, ne nous fâchons pas, je vous en prie.

Il l'attira vers lui. Une fraction de seconde, elle fut tentée de tout oublier et de se laisser aller dans ses bras mais cédant à une réaction d'amour-propre, elle le repoussa.

— Non ! Cette fois, nous ne résoudrons pas nos problèmes ainsi. Nous avons déjà commis cette erreur dans le Vermont et je ne suis pas assez naïve pour retomber dans votre piège.

Ray se redressa, furieux.

— Qu'attendez-vous de moi exactement ? Peut-être serait-il temps de me dévoiler vos arrière-pensées ? Je me réjouissais de ce dîner et, apparemment, vous aussi. Hélas, me sentant fatigué, j'ai eu le malheur de fermer les yeux un instant et vous avez ouvert le feu. Sans doute aurais-je dû vous emporter sur mon lit sitôt votre arrivée ? Je vous croyais un peu plus raffinée !

Comment osait-il s'exprimer de la sorte ?

La tristesse se mêla à la colère et elle déclara sèchement :

— Quand vous n'avez que moi sous la main, vous me trouvez assez raffinée.

— Eve ! Quelle inélégance !

Cette fois, une expression sincèrement choquée se peignit sur le visage de Ray. La déception fut profonde aussi pour Eve. Ils ne parviendraient jamais à discuter tranquillement. En vain avait-elle essayé de se convaincre de la bonne foi de Ray, sa réticence à parler de ses amis ne soulignait que trop de vieilles liaisons. De plus, il n'avait certainement pas la moindre intention de mettre de l'ordre dans sa vie privée. Elle avait été bien sotte de croire à ces réceptions professionnelles où il prétendait se rendre. En fait, les bras de Lois ou d'une autre avaient dû l'accueillir ces derniers soirs.

— L'heure de se conduire avec raffinement est passée ! reprit-elle. L'honnêteté est davantage de rigueur, tant envers moi qu'envers vous-même. Pensez-vous que si j'étais venue ce soir pour le simple plaisir de vous prendre la main, vous ne vous seriez pas senti frustré ?

— Non, je ne le crois pas. Je respecte votre travail. Si vous m'aviez avoué être fatiguée par une journée épuisante, je l'aurais compris. Il vous aurait suffi de me dire que vous teniez toujours à moi.

— Tenir à vous ? interrompit-elle. Mais qui donc ne tient pas à vous ? La vérité est que je ne suis pas la seule à quémander vos faveurs.

— Le problème est donc là !

Ray éclata de rire, brusquement soulagé.

— Je m'en doutais, mais je n'arrivais pas à le croire. Vous, la femme la plus ravissante que j'aie jamais connue et aimée, comment osez-vous avoir le moindre complexe ? Ma pauvre chérie, ainsi donc vous êtes vraiment un peu jalouse ?

Eve laissa tomber le masque.

— Bien sûr, je le suis ! Comment pourrait-il en être autrement ? Certes, j'aimerais pouvoir vous faire confiance. Mais la vérité est que vous me traitez ni plus ni moins comme l'une de vos nombreuses admiratrices. Je vous amuse de temps en temps, mais je ne compte pas dans votre vie.

— Taisez-vous, Eve !

Ray se leva d'un bond. Il arpenta le salon et tout à coup explosa à son tour.

— Je déteste ce genre d'insinuations ! Pour qui me prenez-vous ? Pour un séducteur ? Un dandy ? Permettez-moi de vous dire que vous baissez dans mon estime. Vos suppositions sont stupides. Votre jalousie n'a aucun fondement, pouvez-vous réfléchir une minute, une fois dans votre vie ?

Sa colère était impressionnante et sa remarque mit le feu aux poudres. Eve bondit sur ses pieds et se dirigea vers la porte. Personne n'aurait pu la retenir. Folle de rage, elle exprima enfin tous ses soupçons.

— Si je suis stupide, vous en êtes responsable ! Et si je vous parais moins attirante, allez retrouver l'une de vos nombreuses maîtresses !

Les larmes l'aveuglèrent. Eve s'empara de son sac et de sa veste avant de préciser :

— Avec un peu de chance, Lois se fera un plaisir de vous consoler !

Sa dernière vision de Ray fut son visage abasourdi. Il fit un geste pour la retenir, mais elle claqua la porte derrière elle.

Ces paroles avaient eu raison de sa colère. L'abcès était enfin crevé. Malheureusement, il était trop tard. Jamais, ils ne se reverraient.

Chapitre 12

APRÈS AVOIR QUITTÉ L'APPARTEMENT DE RAY, EVE COMPRIT que, cette fois, la rupture était définitive. Depuis le début, leur histoire se résumait à quelques flambées de passion gâchées par des discussions sans issue. Sûrement leur attirance était sincère mais le pur désir physique n'était pas suffisant pour construire quelque chose de durable... Eve devait se rendre à l'évidence : aucune base solide n'alimentait leur relation.

Un profond sentiment de solitude, d'abandon et de découragement l'envahit. L'amour ? De quoi était-il fait ? D'amitié, de compréhension, de tendresse ? Oui, mais aussi d'autre chose. Tous deux avaient éprouvé un coup de foudre en se voyant pour la première fois. Ray s'en était arrangé à sa façon. Eve aurait aimé une relation à la fois romantique et durable. Une infinie confiance l'un dans l'autre était indispensable. Hélas, cela n'avait pas été le cas. L'affection qu'elle éprouvait pour Darrell lui avait davantage permis de trouver sa stabilité.

Oui. Mais, Eve n'était pas amoureuse de Darrell. Le problème était là.

De tout temps, sa nature sentimentale lui avait joué des tours. Lorsque Eve était plus jeune, elle admirait les poètes et les écrivains du XIXe siècle. Ils l'entraînaient dans un monde romantique. Keats et Shelley avaient été ses héros et, aujourd'hui encore, elle croyait dur comme fer que l'amour devait être absolu et sublimé.

Ray lui avait inspiré ces sentiments. Or il était irrémédiablement perdu.

Pendant plusieurs jours, Eve s'efforça de chasser de sa mémoire les détails de leur dernière soirée. Les revivre aurait été pénible et trop dangereux. Son seul remède fut de travailler deux fois plus. Elle accumula les projets, les rendez-vous et parvint ainsi à anesthésier son chagrin.

Un jour, un magazine lui offrit un reportage sur les photographes travaillant en free-lance. Le seul fait d'interviewer ses collègues, indépendants comme elle, lui permit d'examiner en profondeur son propre métier. En parlant d'eux, elle raconta en quelque sorte son histoire, celle de sa vie. Cette réflexion lui fit du bien.

Ce travail achevé, Eve eut envie de s'offrir deux jours de vacances. Elle était fatiguée et trop vulnérable pour prendre le risque de rester en tête à tête avec elle-même.

La question fut tranchée le lendemain par un coup de téléphone du rédacteur en chef de *Monsieur*. Il avait été impressionné par ses photos et lui proposait une série de prises de vue avec l'un de leurs mannequins.

Cette chance inattendue parvint à lui remonter le moral. Elle avait plus ou moins espéré attirer l'attention de ce magazine très coté qui pourrait lui ouvrir les portes les plus fermées.

Evidemment, cette offre sur la mode masculine ne manqua pas d'éveiller ses souvenirs. Elle les chassa comme elle put. Tout l'après-midi fut consacré à nettoyer son appartement. Elle s'épuisa à porter son linge dans une laverie, décrocher ses rideaux pour les brosser et faire quelques courses pour garnir le réfrigérateur. Bref, elle faisait tout pour éviter de penser.

Le soir, la fatigue prit le dessus. Après avoir avalé un dîner léger, la jeune fille s'endormit profondément, ravie par la perspective du lendemain, son rendez-vous chez *Monsieur* ayant été fixé dans la matinée.

Eve s'éveilla fraîche et dispose. Bien sûr, cet interview la rendait un peu nerveuse. Son avenir en dépendait. Un copieux petit déjeuner lui redonna des forces. Rien de tel pour éliminer les angoisses ! Un peu nostalgique, elle se remémora ses débuts, son arrivée à New York, les difficultés pour se faire connaître. Maintenant, elle était récompensée de ses peines. Le travail et encore le travail finissait par être payant. Certes, la jeune fille menait une vie un peu austère depuis quelques semaines, ce n'était pas drôle à y bien réfléchir ! Une journée comme aujourd'hui la payait de ses peines.

Une tenue plutôt stricte s'imposait. Aussi opta-t-elle pour un tailleur en grosse toile de lin. Son appareil photo et son sac sur l'épaule, elle sortit dans la rue où un ciel ensoleillé l'accueillit. Elle devait impérativement réussir ce reportage chez *Monsieur*. C'était une gageure. La confiance revint.

Eve eut la brusque certitude que cette journée serait bonne car elle commençait bien.

Elle arriva au bureau du journal avec un optimisme débordant. Le réceptionniste du magazine prit son nom et, quelques secondes plus tard, surgit d'un bureau un homme jovial.

— Content de vous voir ! lança-t-il avec chaleur.

Eve reconnut la voix du rédacteur en chef avec lequel elle s'était entretenue au téléphone. Il lui serra vigoureusement la main et ajouta :

— Appelez-moi Carl.

De toute évidence, Carl menait rondement ses affaires sans se perdre en salamalecs.

Tout en continuant à discourir, il la fit entrer dans son bureau.

— Asseyez-vous, je vous prie. Dès que nous aurons les premières épreuves, nous vous présenterons les stylistes et le directeur de mode. En attendant, le studio est libre et notre modèle prêt à commencer. Je vais vous donner une idée de la ligne de l'article. Ensuite à vous de jouer ! Voici quelques notes rédigées à votre intention.

— Merci...

— Ah ! encore un mot. Bien entendu, si vous avez besoin de quoi que ce soit pour faciliter ces prises de vue, n'hésitez pas à nous le dire.

— Je n'y manquerai pas.

Eve apprécia au plus haut point la façon directe dont il l'avait abordée. Le travail s'annonçait agréable et l'ambiance sympathique. Elle le suivit dans le couloir où il lui désigna le studio B avant de prendre congé.

— Bonne chance !

— Merci, Carl.

La jeune fille poussa la porte. Le souffle coupé,

elle découvrit le modèle qu'elle devait photographier. Assise sur un haut tabouret, Lois la regardait froidement.

Non. Le hasard était par trop ironique ! Ray avait déjà failli lui gâcher sa carrière. Cette fois, elle ne laisserait pas sa rivale en faire autant.

Visiblement, Lois ne sembla pas trop surprise. Un demi-sourire aux lèvres, d'un geste gracieux elle leva la main.

— Bonjour ! Amusante coïncidence, n'est-ce pas ?

— Curieux, en effet, grommela Eve sans aménité.

Elle reprit ses esprits et disposa son matériel sur la table. De toute façon, elle n'avait pas le choix. Elle devait faire son travail, cela seul comptait. Après un coup d'œil rapide sur le mannequin, Eve se demanda si Lois savait ou non qu'elle serait sa photographe. Sans doute, oui. Après tout, aucune importance. Eve décida de ne pas mêler ses affaires sentimentales à sa vie professionnelle. En quelque sorte, Ray lui avait montré l'exemple !

— Je suis à vous dans un instant, Lois, dit-elle en désignant les feuilles que Carl lui avait remises.

— Prenez tout votre temps.

Sans montrer la moindre impatience, Lois attendit en tirant de son sac une cigarette qu'elle alluma.

Eve se plongea dans sa lecture. Elle dut relire certaines phrases car les mots dansaient devant ses yeux. Lois était vraiment ravissante avec son tailleur de soie mauve qui mettait en valeur ses cheveux noirs.

— Allons-y !

Il fallait lui rendre cette justice, Lois lui facilita la tâche. Eve la mitrailla pendant deux heures sans que la jeune femme montre la moindre trace de fatigue. Elle aussi exerçait son métier en professionnelle.

Pas une seule fois, Lois ne rechigna devant les demandes de sa photographe. De son côté, Eve se concentra sur son travail. Elle s'efforça d'oublier que la femme élégante et séduisante qui se tenait au bout de son objectif était son ennemie jurée. Ray entretenait une liaison avec elle ! L'effort pour oublier et passer outre fut considérable, mais elle parvint à tenir son rôle.

Lois conserva au long de la séance une attitude ni aimable ni désagréable, tout simplement indifférente. L'expérience lui avait sans doute prouvé qu'elle n'avait rien à redouter d'Eve Forsythe. Dans les rares occasions où elles s'étaient rencontrées, Lois avait affiché cette froideur polie. Maintenant, Eve en comprenait les raisons. Lois était invulnérable !

En revanche, une petite lueur ironique brillait de temps à autre dans son regard, Eve ne savait que trop bien comment l'interpréter. Le mieux était de rester aussi imperturbable que son adversaire.

L'heure du déjeuner était amplement dépassée lorsque la photographe reposa son appareil, épuisée.

— Faisons une pause pour manger quelque chose, dit-elle. Pouvez-vous être ici dans une heure ?

Lois s'étira voluptueusement. Elle ne laissa rien voir de sa fatigue.

— Pourquoi ne pas aller prendre un sandwich ensemble ?

Eve tressaillit. Elle s'attendait à tout, sauf à cette proposition. La perspective de se retrouver en tête à tête avec Lois dépassait ses forces.

— Je n'ai pas très faim.

Lois daigna sourire.

— Moi non plus, d'ailleurs je fais un régime, comme tous les mannequins de Virginia. Ecoutez, je sais combien il vous est difficile de travailler avec moi. Je n'ai pas l'intention de vous compliquer la tâche. Toutefois, j'aimerais vous parler.

De quoi ? pensa Eve, de leurs amours ? Ce n'était pas son genre de discuter de ses problèmes sentimentaux avec sa rivale ! Elle se préparait à décliner l'invitation lorsque, croisant le regard de Lois, elle crut y lire une lueur presque suppliante.

— S'il vous plaît, insista doucement le mannequin.

Déconcertée, Eve hésita un instant.

— Si vous voulez, allons-y.

Elle croyait marcher vers l'échafaud. Quelle naïveté de s'être réjouie de ce reportage chez *Monsieur* ! Maintenant, il lui fallait payer la contrepartie. Toutefois, que Lois ne se fasse aucune illusion : Eve n'avait nullement l'intention de lui accorder son amitié sous prétexte qu'elles aimaient le même homme. Si une chose lui répugnait, c'était bien cette pseudo et fausse complicité féminine.

Forte de ces bonnes résolutions, elle suivit la jeune femme dans le snack-bar le plus proche. Lorsqu'elles se furent installées dans un coin, avec une salade et un café, Lois rompit le silence.

— Je suis contente que vous ayez accepté de déjeuner avec moi, c'est l'occasion ou jamais de faire plus ample connaissance, n'est-ce pas ?

Eve la regarda avec étonnement. Lois ne manquait pas de toupet. Sans se départir de son calme, elle souligna :

— Permettez-moi de vous faire remarquer que cette occasion nous a déjà été offerte !

Lois se mit à rire, découvrant des dents parfaites. Il aurait d'ailleurs été difficile de lui trouver des défauts. Ray avait choisi son amie en esthète. Lois pouvait se vanter de répondre à ses goûts. De nouveau, Eve ressentit ce vieux complexe qui lui empoisonnait l'existence.

— En effet, acquiesça Lois. Nous nous sommes rencontrées à deux reprises. Chez Brad et chez Ray. Mais avouez que les circonstances ne se prêtaient pas à une discussion personnelle.

Nous y voilà, pensa Eve. Lois serait-elle jalouse, elle aussi ? Cette éventualité lui mit du baume au cœur. Néanmoins, la jeune fille se garda bien de s'aventurer tout de suite sur ce terrain glissant. Puisque Lois désirait lui parler, qu'elle mène le débat !

— Bien sûr, Lois. Toutefois, pour ne citer que la soirée chez Ray, vous ne sembliez guère désireuse de m'adresser la parole. Vous ne m'avez même pas saluée.

— Vous non plus, répliqua paisiblement Lois.

Eve baissa le nez sur sa salade.

— C'est vrai. Pour ne rien vous cacher, je me sentais mal à l'aise dans cette réception. Je ne connaissais personne et Ray était très occupé par ses invités ; trop occupé pour se soucier de moi.

Sa franchise lui fit du bien. Elle était satisfaite d'avoir exprimé ses reproches. Lois la regarda avec compassion.

— Ray ne devrait pas mélanger sa vie privée et sa vie professionnelle, vous avez raison, déclara-t-elle.

Le silence tomba. Eve ne savait comment interpréter ces paroles. Lois insinuait-elle qu'Eve n'était nullement à sa place dans ce genre de réception ?

Le mannequin acheva sa salade et but une gorgée

de café. Contrairement à Eve, elle paraissait très à l'aise et la jeune fille l'envia.

— A propos de Ray, continua-t-elle, je ne l'ai pas trouvé très bien ces deux dernières semaines. Franchement, il m'inquiète. Comme vous le savez, il a une formidable puissance de travail, mais son entourage lui en demande toujours davantage.

A qui la faute ? Eve hocha la tête avec tristesse. Elle regrettait cependant de n'être pas la cause de sa fatigue.

— N'est-il pas assez grand pour faire la part des choses ? rétorqua-t-elle, restant volontairement dans le vague.

Lois releva les sourcils. Une expression un peu choquée se peignit sur son visage.

— Dans notre métier, il est indispensable de connaître beaucoup de monde.

— Dans le mien également. Toutefois, je suppose qu'il est important d'être sélectif et de ne pas accorder sa confiance à n'importe qui.

Lois jugea préférable de ne pas relever cette dernière phrase. Elle alluma une cigarette après avoir tendu son étui à Eve. Celle-ci fumait rarement, mais elle accepta volontiers pour se donner une contenance.

— Je suis sa plus proche amie, reprit Lois. Pourtant, je n'arrive toujours pas à savoir ce qu'il pense vraiment.

— C'est à moi que vous le demandez ?

Cette fois, Eve se fâcha. Devait-elle, de surcroît, leur servir de conseiller ?

— Eve, je crois vraiment que vous êtes la seule concernée. Une première fois, Ray s'est montré extrêmement abattu après que vous êtes partie de chez lui. Tout d'abord, je n'ai fait aucun rapprochement. Ensuite, j'ai compris que votre brusque départ en avait été la cause. En revanche, il rayonnait lorsqu'il est rentré du Vermont. Ce n'était plus le même homme et j'ai appris que vous vous étiez rencontrés là-bas.

Eve se mordit la lèvre. Lois allait-elle lui faire une scène de jalousie ? Elle ne le supporterait pas.

— Continuez, je vous prie.

— Je ne sais pas ce qui s'est passé entre vous, deux jours plus tard, mais j'ai senti que je devais éclaircir la situation pour son bien. Je l'aime beaucoup, vous savez ?

Eve écrasa brutalement sa cigarette dans le cendrier. Une sourde colère faisait trembler ses doigts.

— Lois, dois-je souligner que vos sentiments pour Ray ne me regardent en aucune façon ? Je ne doute pas une seconde que vous l'aimiez et vice versa. Cela dit, si une ombre gâche votre idylle, il vous revient de résoudre ce problème. Je me garderais bien de me mêler de vos histoires de cœur.

Pendant quelques secondes, Lois sembla interloquée. Tour à tour, son visage mobile refléta l'étonnement, la colère, puis la pitié. Puis, tout à coup, traversée par une subite inspiration, elle se frappa le front.

— Mon Dieu ! s'exclama-t-elle, partagée entre le rire et l'incrédulité.

Eve ne broncha pas, encore plus désorientée que sa compagne.

— Oh non ! gémit Lois. Ne me dites pas que vous avez bâti ce scénario autour de nous ! Pensiez-vous vraiment que nous étions amoureux l'un de l'autre ?

Ce fut au tour d'Eve d'éprouver un grand vide. Se pourrait-il qu'elle se fût trompée de la sorte ?

— N'est-ce pas la vérité ? balbutia-t-elle.

— Mais jamais de la vie ! Ray et moi avons fait nos débuts ensemble dans ce métier. C'est un merveilleux camarade, un ami au sens le plus pur du terme. Il est pour moi le frère dont j'ai toujours rêvé. Rien de plus, voyons !

Lois se mit à rire et, relevant ses boucles brunes dans un geste gracieux, elle ajouta :

— Il n'en reste pas moins que je vous comprends très bien. Moi aussi, j'ai été follement éprise.

— De Ray, évidemment ?

Lois releva la tête pour avouer simplement :

— Non, de Bobby.

Le ciel s'effondra sur sa tête. Eve ne savait plus que penser. Ses pensées se bousculaient. Brièvement, elle revit son dernier dîner chez Ray. Elle ne parvenait pas à croire les paroles de Lois.

— Dites-moi, avez-vous ou non passé avec Ray toutes les soirées qui ont suivi son retour du Vermont ?

La question eut le don d'égayer Lois.

— Oui, c'est vrai. En partie du moins, car nous n'étions pas seuls. Bobby, Ray et moi nous sommes rendus à deux ou trois réceptions purement professionnelles. Eve, comment avez-vous pu le juger si durement ? Ray est un être merveilleux, l'homme le plus droit et le plus intègre que je connaisse. Il est sincèrement amoureux de vous, ne l'avez-vous pas compris ?

Amoureux ? Le mot résonna délicieusement dans sa tête. Non, elle n'avait pas su lui faire confiance. Sa maudite jalousie, son inexpérience avaient alimenté son sentiment d'insécurité. Eve hocha misérablement la tête et ne trouva rien à répondre.

Lois se pencha par-dessus la table.

— Auriez-vous fait quelque reproche à Ray à

126

propos des soirées professionnelles où il était obligé de se rendre ?

— Non pas vraiment. J'en ai déduit seulement que...

Elle fut incapable de terminer sa phrase.

— Mon Dieu ! Vous rendez-vous compte que ces activités plutôt assommantes sont indispensables pour son agence ?

— Son agence ?

— Je vois ! Il ne vous en a pas parlé. Ce n'est sans doute pas à moi de vous révéler le secret le plus important de sa carrière.

Lois se redressa, un peu ennuyée. Follement anxieuse, Eve insista.

— Ecoutez, Lois, je ne veux pas vous mettre dans une situation délicate, mais vous en avez trop dit ou pas assez. De quelle agence s'agit-il ?

Après une seconde d'hésitation, Lois soupira.

— Eh bien ! la sienne.

Eve écarquilla les yeux.

— Voulez-vous insinuer que Ray a l'intention de monter sa propre société ?

— Oui. Désormais, sa notoriété et son expérience le lui permettent. Actuellement, il recrute les meilleurs mannequins de New York et, bien entendu, Bobby et moi serons les premiers à figurer sur sa liste.

Un long silence s'ensuivit. Eve, consternée, se rendait compte qu'elle s'était conduite comme une petite sotte incapable de discernement, égoïste et bornée. Mais, aussi, pourquoi Ray n'avait-il rien dit ? Le manque de confiance réciproque était à l'origine de tout.

— Lois, balbutia-t-elle, nous sommes allés de quiproquo en quiproquo.

— Je le constate.

— Ses activités me paraissaient si mystérieuses.

— Il s'entoure de discrétion, ce qui n'est pas la même chose. Vous-même, ne portez-vous pas un masque ?

Eve devint écarlate. Effectivement, elle tentait continuellement de cacher sa timidité et son insécurité.

— Tout le monde, je suppose, se compose un personnage.

— C'est possible. Il n'en reste pas moins que, devant le moral si bas de Ray, je vous ai prise aussi pour une écervelée.

— Est-ce ainsi qu'il me juge ?

— Je l'ignore. Mais, à votre place, je tenterais une franche explication.

— A quoi bon ? Chaque fois que j'ai effectué cette démarche, elle s'est soldée par une dispute.

— Sans doute vous êtes-vous mal exprimés l'un et l'autre, déclara Lois en jetant un coup d'œil sur sa montre. Bon, il faut reprendre notre travail. Je suis contente que nous ayons pu dissiper des doutes absurdes. Ils n'étaient nullement fondés, je vous assure. Preuve que vous connaissez bien mal notre pauvre Ray.

Cette conclusion n'aurait pas manqué de cruauté dans la bouche d'une autre. Mais Eve venait d'apprendre à connaître la droiture de Lois. Elle était de la même race que Ray. Le travail avant tout et au diable les fadaises ! Eve paya l'addition et, se tournant vers Lois, murmura avec sincérité :

— Merci pour ce déjeuner.

— Je vous en prie ! C'est moi qui vous remercie, répondit Lois avec légèreté.

Sous ses dehors désinvoltes, la jeune femme

cachait sûrement une grande sensibilité et, de surcroît, un loyal sens de l'amitié.

L'après-midi s'écoula encore plus rapidement que
la matinée. Vers cinq heures, Carl fit irruption dans
le studio.

— Comment se déroule la séance ? lança-t-il avec
bonhomie.

— A merveille, déclara Lois.

Eve lui jeta un regard reconnaissant. Elle était
d'autant plus épuisée que l'émotion l'avait distraite
plus d'une fois. Lois avait feint de ne s'apercevoir de
rien, mais elle n'avait sûrement pas été dupe.

— Voici les pellicules, dit Eve.

Carl s'en empara, satisfait.

— Bravo ! Elles seront développées demain
après-midi et je vous téléphone immédiatement
pour vous donner les résultats.

— Merci pour tout, Carl.

Puis, se tournant vers Lois, elle ajouta :

— Je dois partir, maintenant, Lois. Mais je n'oublierai jamais ce que vous avez fait pour moi.

Lois se pencha pour l'embrasser et en profita pour
lui chuchoter à l'oreille :

— N'oubliez surtout pas de téléphoner à Ray,
n'est-ce pas ?

Eve était trop émue pour répondre. Des larmes
perlèrent à ses cils. Pour cacher son émotion, la
jeune fille s'empara de son matériel et s'esquiva
précipitamment.

Chapitre 13

EVE REGAGNA SON APPARTEMENT COMME UN AUTOMATE. Les révélations de Lois remettaient tout en question. Son orgueil venait d'en prendre un coup ! Une égoïste capricieuse et jalouse, voilà l'image qu'elle avait donnée à Ray autant qu'à Lois.

Découragée, fatiguée, la jeune femme commença par se préparer un grand bol de thé chaud avant de faire couler un bain.

Elle s'efforça de concentrer ses idées sur son travail de l'après-midi, impatiente qu'elle était d'en connaître le résultat. Pourtant, ce n'était pas ses photos qui provoquaient son agitation, mais sa conversation avec Lois.

Ainsi donc Ray l'aimait sincèrement ? Après avoir essayé de l'oublier pendant ces deux interminables semaines, Eve ne savait plus où elle en était. Si Lois s'inquiétait à son sujet, c'était donc qu'il lui paraissait aussi vulnérable qu'elle. Son silence lui avait pourtant fait croire qu'il l'avait oubliée.

Mettre en doute la parole de Lois ? Impensable. La jeune femme lui avait avoué ses sentiments pour

Bobby. De nouveau Eve s'en voulut. Elle avait été tellement abasourdie par les dires de Lois qu'elle n'avait même pas pris la peine d'en savoir davantage sur ses propres problèmes avec Bobby.

Eve essaya de se détendre dans l'eau tiède et parfumée de son bain. Sa conscience lui faisait des reproches. Lois lui avait appris combien Ray était malheureux et elle ne supportait pas d'être la cause de sa tristesse. Il fallait qu'elle le revoie.

Toutefois, en sortant de la salle d'eau, elle alluma la télévision et se prépara un dîner léger. Ne rien faire sur un coup de tête. Réfléchir. Tous ses ennuis venaient de ses réactions trop spontanées. Les yeux fixés sur le petit écran, Eve revoyait défiler les images de la dernière soirée chez Ray. Chaque détail lui parut enfin cohérent ! Monter sa propre agence devait comporter des risques énormes. Ray avait sans doute fait un emprunt. Il lui fallait à tout prix réussir dans cette audacieuse entreprise. Avait-il reçu les appuis nécessaires ? Alors qu'il était confronté à toutes ces questions, elle, pauvre sotte, quémandait une caresse !

Eve se sentit tellement honteuse qu'elle préféra se mettre au lit, la nuit portant conseil. Ray devait être déçu, d'ailleurs, il le lui avait dit. Il n'était pas le genre d'homme à s'encombrer d'une femme aussi futile.

Tard dans la nuit, le sommeil ne venait toujours pas. Eve rabattit brusquement sa couverture. Il lui parut tout à coup impossible d'attendre jusqu'au lendemain. Sans vérifier l'heure sur son réveille-matin, elle bondit dans le salon, décrocha le téléphone et forma le numéro de Ray.

La sonnerie retentit plusieurs fois. Pourquoi ne répondait-il pas ? S'était-il, une fois de plus, rendu à quelque réception ? Tout à coup, une voix grave et un peu enrouée résonna dans l'appareil.

— Ray ?

— Oui...

La jeune femme respira un grand coup. Ses lèvres étaient sèches. Son cœur battait comme un tambour dans sa poitrine.

— Ray, c'est moi, Eve ! Que se passe-t-il ? Etes-vous malade ? Vous me semblez tout drôle...

— Eve ! s'exclama-t-il avec surprise. Comment allez-vous ?

Sa voix manquait nettement d'enthousiasme. Il s'éclaircit la gorge avant d'ajouter :

— Je ne suis pas malade mais savez-vous l'heure qu'il est ?

Eve chercha désespérément la pendule du regard, mais Ray précisa aussitôt :

— Trois heures du matin. Que vous arrive-t-il ? Avez-vous des ennuis ?

Disparaître sous terre. Raccrocher ? Non, cela aurait été encore plus puéril. Pourquoi ne pouvait-elle s'empêcher de commettre des bévues ?

— Je suis désolée, Ray. Je n'ai pas fait attention à l'heure. Retournez vite vous recoucher. Je vous rappellerai demain.

— Mais non, voyons. Maintenant, c'est inutile. Dites-moi plutôt la raison de votre appel.

Une note d'impatience perçait dans sa voix. Eve eut l'impression de retrouver le Ray léthargique et fatigué du dernier soir. Les paroles se bousculèrent et elle bredouilla misérablement :

— Ecoutez, je vais vous paraître étrange, mais il faut absolument que je vous parle. Pourriez-vous venir ?

— Tout de suite ?

132

— Mais non ! Demain, après votre travail.

Il y eut un silence. Eve l'entendit soupirer.

— Je ne sais pas, dit-il lentement. Mais tout va bien pour vous, c'est sûr ?

— Oui, j'ai tellement de choses à vous dire.

Ray ne répondit pas. Ce mutisme était éloquent ! Visiblement, il était fatigué de ces éternelles discussions qui ne les conduisaient nulle part et les blessaient davantage chaque fois. Aussi Eve enchaîna-t-elle très vite.

— A neuf heures demain soir. Cela vous serait-il possible ?

S'il refusait elle saurait à quoi s'en tenir. Ses doigts se crispèrent sur l'écouteur.

— C'est bon, dit-il enfin. Je pense que cela ira.

— Parfait. A demain alors.

Eve raccrocha précipitamment pour ne pas lui laisser le temps de trouver quelque prétexte.

Elle se sentit beaucoup mieux après cet appel. A peine sa tête toucha-t-elle l'oreiller qu'un profond sommeil l'emporta.

Au réveil, sa première pensée fut pour Ray. Jamais elle ne pourrait attendre jusqu'à ce soir ! Peut-être ce rendez-vous était-il encore une maladresse ? Il lui faudrait reconnaître ses torts en dépit de son orgueil. Elle ne pouvait pas lui parler de son agence sans trahir la confiance de Lois.

Complètement désemparée, Eve décrocha son téléphone pour appeler Penny.

— Que penserais-tu de venir prendre le petit déjeuner avec moi ? lui demanda-t-elle sans préambule.

Penny éclata de rire.

— Voilà autre chose ! Ecoute, ta proposition ne

manque pas d'originalité, mais je suppose que ce n'est pas uniquement pour m'offrir une tasse de café que tu m'invites à huit heures du matin.

— En effet, répondit Eve. Une nouvelle chance m'est offerte chez *Monsieur*. Je voulais t'en parler.

— Es-tu bien sûre que ce soit tout ?

— Non, il y a aussi autre chose, avoua Eve.

De nouveau, Penny eut un rire moqueur.

— C'est bien. J'arrive. N'oublie pas que je prends deux œufs à la coque pour mon petit déjeuner.

Dix minutes plus tard, Penny sonnait à la porte. Elle ne fit aucune allusion aux yeux pétillants de son amie et elle eut la cruauté de dévorer ses toasts en lui racontant mille faits divers sur son propre travail sans lui laisser le temps de placer une parole. Enfin, avec un clin d'œil taquin, elle l'interrogea.

— Alors, que se passe-t-il avec Ray ?

Eve lui raconta la journée avec Lois, les confidences du mannequin et son geste spontané de la nuit.

— Tu as très bien fait. Pour une fois que tu te montres telle que tu es, tu ne vas tout de même pas le regretter ?

— Ray ne va-t-il pas penser que je manque de dignité ?

— S'il te juge ainsi, c'est qu'il ne mesure pas l'importance de ton repentir. Dans ce cas, tu n'auras rien perdu. Enfin, cesse de te torturer sur l'opinion de ton entourage, aie un peu confiance en toi ; tu es aussi quelqu'un à part entière.

Eve lui jeta un coup d'œil sceptique.

— Ne m'as-tu pas reproché déjà de m'occuper beaucoup trop de ma petite personne ?

— Absolument ! Tu agis souvent comme une enfant gâtée en te mettant au centre des événements. Mais je pense que ta timidité est responsable de cette attitude. En fait, tu veux savoir la vérité ?

Eve écarquilla les yeux.

— Tu me fais peur, qu'as-tu encore découvert sur moi ?

— Tout simplement ceci. Ce n'est pas en Ray que tu n'as pas confiance. Mais en toi.

Eve hocha la tête et beurra un dernier toast pour se donner le temps de réfléchir.

— Tu as peut-être raison.

— J'ai sûrement raison, rectifia Penny. Tu es intelligente, belle et ta jalousie n'a d'autre racine que ce malheureux complexe. Si tu ne crois pas en toi, comment veux-tu croire en les autres ? Tu n'as pas besoin de vouloir les imiter. Il te suffit de les accepter afin qu'ils t'acceptent à leur tour.

Puis, pour atténuer la sévérité de ses paroles, elle acheva sa tirade sur un sourire.

Lorsque son amie eut quitté l'appartement, Eve se trouvait tout à fait ragaillardie.

Elle passa la matinée à classer ses photos et à ranger ses dossiers. Son courrier avait pris du retard. Bientôt, il lui faudrait engager une secrétaire si son affaire continuait à prospérer. De plus, cette paperasserie devenait assommante. Eve préférait mille fois se trouver derrière son appareil photo que devant son bureau.

Lorsque le téléphone sonna en début d'après-midi, son cœur battit à grands coups. Ray avait dû trouver un prétexte pour décommander leur rendez-vous du soir. L'angoisse l'étreignit quand elle décrocha l'appareil.

La voix chaleureuse de Carl résonna à son oreille.

— Félicitations, ma chère ! J'ai de bonnes nouvelles pour vous. Nous avons beaucoup apprécié votre

135

travail et nous envisageons de vous confier notre promotion de printemps. Notre future collaboration s'annonce fructueuse.

— J'en suis enchantée, moi aussi.

Jamais Eve ne s'était sentie aussi fière. Carl lui fixa rendez-vous pour le lendemain, afin de discuter du choix des photos et d'envisager les projets à venir.

A peine la jeune femme eut-elle reposé son téléphone qu'elle esquissa un pas de danse dans l'appartement. Elle avait travaillé dur, mais la récompense était à la hauteur de ses efforts. En l'honneur de son premier succès, Eve décida de s'offrir un après-midi de congé. Elle était tellement impatiente de revoir Ray qu'elle essaya de s'occuper l'esprit en prenant un livre.

Hélas, les mots dansaient devant ses yeux, sans la moindre signification.

— Au diable Lois ! maugréa-t-elle.

Sans elle, jamais Eve n'aurait pris l'audacieuse décision d'appeler Ray. Maintenant, il était trop tard pour reculer. Eve redoutait surtout la première minute où ils se reverraient. De son attitude à ce moment-là dépendait la suite de la soirée. Peut-être pensait-il que la photographe avait besoin de conseils sur son travail ? Ce n'était pas le cas, justement le jour où ses affaires allaient à merveille.

De nouveau, elle se sentit frustrée.

Au téléphone, Ray avait une voix d'outre-tombe ! Evidemment, il était trois heures du matin ! De toute façon, il ne servait à rien d'épiloguer sans cesse. Dans moins de quelques heures, elle serait fixée.

Chapitre 14

RAY ÉTAIT ATTENDU POUR NEUF HEURES. AURAIT-IL DÎNÉ ?
Il y avait une salade variée dans le réfrigérateur et
une bouteille de vin blanc. Eve redoutait surtout
qu'il soit aussi fatigué que lors de leur dernière
rencontre. Les difficultés qu'il avait à surmonter
pour faire marcher son agence ne lui laissaient
guère le loisir d'écouter les jérémiades d'une femme
jalouse ! Lois ne se rendait pas compte à quel point
le gouffre s'était creusé entre eux.

Eve fut incapable d'avaler son dîner. Elle se
contenta d'une tasse de thé, d'un toast et repoussa
aussi l'envie de s'habiller. Son jean et sa chemisette
blanche seraient suffisants pour cette simple rencontre. Elle ne voulait pas donner l'impression de
dramatiser.

En revanche, la jeune fille se maquilla soigneuse-
ment. Le travail de ces dernières semaines lui avait
définitivement enlevé le bénéfice des vacances dans
le Vermont. Un soupçon de fond de teint, une touche
de rose sur ses joues et sur ses lèvres lui rendirent sa
bonne mine. S'armant ensuite de son fer à friser,

elle se fit une quantité de bouclettes. Cette coiffure, qui changeait complètement son visage, lui plut beaucoup.

Enfin, quand la sonnette de la porte d'entrée retentit, elle se précipita pour ouvrir.

— Bonjour, dit Ray d'un ton neutre.

— Entrez, proposa-t-elle, essayant de calmer le tremblement de sa voix.

Les changements survenus chez Ray étaient stupéfiants. Amaigri, il semblait éreinté. La lueur joyeuse qui faisait jadis briller ses yeux avait disparu. Il paraissait plus âgé et écrasé de soucis.

— Asseyez-vous, murmura-t-elle en lui désignant un fauteuil. Voulez-vous boire quelque chose ? Avez-vous faim ?

Il se laissa tomber dans un siège.

— Non, merci.

A ce moment seulement, il leva les yeux sur elle.

— Tiens, vous avez changé de coiffure !

L'ombre d'un sourire se dessina sur ses lèvres et Eve devint cramoisie. Etait-ce un compliment ou une critique ? Elle avait encore été stupide de s'être mise en frais pour lui.

— Alors, se contenta-t-elle de bredouiller, comment allez-vous ?

— Bien, comme d'habitude. Et vous ?

Eve prit place sur le canapé, maudissant cette conversation banale et tellement horripilante !

— Je me porte à merveille.

C'était ridicule. Ni lui ni elle n'étaient au meilleur de leur forme. C'était visible ! Elle était comme une pile électrique et lui comme un zombi !

Un silence gênant tomba. C'était maintenant ou jamais l'instant de mettre les choses au point.

Malheureusement, Eve ne savait comment commencer. Finalement, ce fut Ray qui ouvrit le feu.

— Eve, je ne suis pas sûr que ce soit une bonne idée d'être venu ce soir. Aviez-vous une raison spéciale de me parler ?

Paralysée par l'émotion, elle se sentit incapable d'entrer dans le vif du sujet. Peut-être Lois s'était-elle trompée en attribuant la dépression de Ray à leur problème sentimental. La froideur qu'il affichait en lui parlant ne soulignait que trop son détachement. Elle ne comptait plus pour lui.

— La dernière fois que nous nous sommes vus, j'étais énervée et fatiguée et j'ai mal réagi à votre comportement. Nous nous sommes séparés sur une dispute et je le regrette. Aussi ai-je pensé qu'il serait plus digne de nous conduire en adultes et d'en parler tranquillement.

Eve se mordit les lèvres. Elle s'en voulut de contourner une fois de plus la vérité. Les mots qui franchissaient ses lèvres n'étaient pas ceux qu'elle aurait voulu dire. Ray hocha la tête.

— Je suppose que vous avez raison.

Il poussa un bref soupir.

— Tout cela est du passé, continua-t-il. Le mieux est de tourner la page, de ne pas revenir là-dessus. Nous sommes appelés à nous croiser ici et là, étant donné notre métier, et je comprends votre désir d'enterrer la hache de guerre.

Eve se sentit glacée. Ray lui annonçait une rupture en bonne et due forme. Ils resteraient amis, pas davantage. Pendant quelques secondes, elle ne trouva plus rien à dire. Mais elle refusa vite cette conclusion trop cruelle. Penny ne lui avait-elle pas conseillé de se montrer telle qu'elle était ? Il fallait jouer le tout pour le tout et arracher son masque.

139

Tant pis si elle devait payer cher cet excès de franchise.

Prenant son courage à deux mains, Eve plongea son regard dans les yeux bleus de Ray.

— Vous m'avez mal comprise. En premier lieu, je veux faire amende honorable. Je vous ai dit des choses abominables que je ne pensais pas. J'ai eu tort de vous reprocher votre fatigue. J'ai fait preuve d'égoïsme...

Eve s'interrompit. Elle n'avait pas encore la force d'avouer sa jalousie. Par bonheur, elle eut la surprise de voir Ray se lever brusquement pour déclarer :

— Vous me voyez surpris. Ne vous accusez surtout pas ! Au contraire, vous avez eu raison de me faire ces reproches. Je me suis mal conduit envers vous, ce soir-là. Votre réaction m'a paru normale étant donné qu'il y avait bien des détails que vous ignoriez.

Un immense soulagement inonda la jeune femme.

— C'est le moment de m'en parler, alors. Peut-être pourrons-nous sauver ce qui reste de notre amitié ?

Ray lui lança un coup d'œil perplexe, puis il se rassit dans son fauteuil et croisa ses longues jambes devant lui. Un fol espoir traversa l'esprit d'Eve. Ray sortait de son abattement, il semblait s'intéresser à elle de nouveau.

— Ma foi, avoua-t-il brusquement, je dois admettre que mon attitude n'a été dictée que par mon manque de confiance en moi. J'avais trop peur de vous perdre.

Abasourdie, Eve l'interrogea du regard. Comme

140

elle l'avait mal jugé ! Il avait une telle prestance que ses propres incertitudes n'apparaissaient guère !

— Ray, êtes-vous vraiment sincère ?

— Absolument.

Il fronça les sourcils et sembla chercher ses mots, à son tour.

— Dès le début, reprit-il, j'ai senti que ma carrière était une ombre entre nous. Pour le commun des mortels, ce n'est pas un métier d'homme. Des rumeurs et des a priori souvent méprisants entourent les mannequins. Il nous est terriblement difficile de lutter continuellement contre ces idées reçues. D'autre part, le monde de la mode pâtit d'une réputation futile. Voilà la raison pour laquelle j'étais tellement furieux de vous voir quitter ma réception. J'ai eu l'impression que vous méprisiez mes amis et moi aussi par la même occasion.

— Je suis désolée. Je sais que je me suis trompée au sujet de vos amis.

Eve se mordit les lèvres. Sans doute n'était-ce pas encore le moment de mentionner Lois. Evitant de nouveau ce sujet brûlant, elle reprit :

— Votre carrière ne m'a jamais paru superficielle. Si vous pensez que je ne m'y intéresse pas, vous vous trompez.

— Je n'ai aucun reproche à vous faire.

Ray vint s'asseoir sur le canapé. Il prit la main d'Eve avec tant de douceur qu'elle ressentit un profond bonheur.

— Dieu sait que je suis conscient du monde éphémère dans lequel j'évolue, continua-t-il. Mais j'ai tellement donné de moi-même que j'ai fini par sincèrement me prendre au jeu. Comme dans tous les milieux, on rencontre des gens sérieux, des amis fidèles et honnêtes, et j'ai appris à les aimer. Voyez-vous, Eve, je ne serai jamais un bon fermier dans le Vermont. Ce n'est pas mon style. Je ne suis pas davantage un intellectuel, ni un artiste, ni un gestionnaire. J'aime le risque et les activités variées. Aussi, comme les succès d'un mannequin ne sont pas éternels et que je ne suis pas attiré par la confection, j'ai enfin trouvé la solution.

Eve la connaissait mais elle se garda bien de le montrer, se contentant de lever vers lui un regard naïf et impatient.

— J'ai donc décidé de rester dans la mode, déclara-t-il, mais en changeant de fonction. Tout doucement m'est venue l'idée de monter ma propre agence et d'appliquer mes idées personnelles. Mon entreprise sera différente des autres, à savoir qu'il sera offert à mes employés plus de justice et de dignité.

Eve le regarda avec curiosité. Elle s'enfonça dans son siège, suspendue à ses lèvres.

— Pendant un an, j'ai mis ce projet au point. Je veux effectivement engager mes mannequins à temps complet. Nous formerons ainsi une grande famille avec un esprit d'entreprise. Inutile de vous préciser que non seulement mon agence comprendra des modèles, mais je souhaite m'attacher également les services de représentants et de publicitaires qui ne travailleraient que pour moi. Je ne voudrais pas vous ennuyer avec trop de détails. Sachez seulement que, dans notre petit univers, chacun trouverait son compte.

Pour la première fois depuis qu'il était entré, Ray se laissait aller à son enthousiasme. Ses yeux brillaient et il sembla sortir de son apathie.

— Je suis contente pour vous, commença Eve.

Parti sur sa lancée, Ray se montra intarissable.

— Voyez-vous, je veux dépasser les statuts de l'agence traditionnelle. Je désire les structurer de telle sorte que mon personnel soit en sécurité, physiquement et moralement. Mes mannequins ne seront plus dispersés par monts et par vaux, ce qui les empêche de mener une vie équilibrée. Ils seront sous contrat et, passé la trentaine, ils n'auront plus de souci à se faire : un autre poste leur sera réservé dans mon affaire. Je tiens à ce qu'ils redeviennent des êtres humains à part entière et qu'ils puissent rire et pleurer pour d'autres raisons que leur profession. Je désire qu'ils vivent sans l'inquiétude permanente du lendemain.

Bouleversée, Eve comprit que son compagnon était encore plus idéaliste qu'elle.

— Quelle a été la réaction autour de vous ? demanda-t-elle.

Ray eut un rire bref.

— Tout le monde n'est pas d'accord. J'ai rencontré beaucoup de résistance de la part de mes futurs confrères. Ils supposent que je rêve de l'impossible et m'ont accusé de poursuivre une utopie. En fait, je m'en moque. Je reste certain qu'une telle agence a sa place sur le marché. Elle deviendra même la meilleure de toutes.

L'orgueil perçait dans sa voix. Pourtant, une ombre traversa ses yeux bleus.

— La dernière fois que nous nous sommes vus, je sortais d'une discussion avec l'un de mes adversaires. Evidemment, j'ai eu tort de ne pas vous expliquer mes soucis. Mais, voyez-vous, il ne m'a jamais été facile de m'ouvrir spontanément à mon entourage. Je craignais votre jugement plus que tous les autres. Lois a été la première à accepter mon projet avec enthousiasme. Puis Bobby m'a donné son accord. Il me restait encore à obtenir des crédits de mes actionnaires. Ils se sont montrés plus difficiles à convaincre.

Nostalgique, Ray effleura la joue d'Eve. Des larmes brillaient dans les prunelles de la jeune femme.

— Lorsque, enfin, j'ai obtenu le feu vert, il était trop tard pour nous, murmura doucement Ray.

— Ce n'est pas vrai... commença-t-elle.

Désespérément, elle aurait voulu trouver les mots pour lui exprimer son admiration. Mais Ray se redressa et enchaîna d'un ton ferme, sans lui laisser le temps de continuer :

— A mon tour de faire amende honorable. Vous n'avez pas tort d'éprouver certains doutes quant à la frivolité de mon entourage. J'ai eu cette première réaction, moi aussi, en débutant dans le métier. A chaque séance de pose, nous sommes en représentation, aussi une façade nous est-elle indispensable. On nous demande d'être souriants, élégants et de cacher nos sentiments personnels. En quelque sorte, nous sommes également des comédiens.

Eve battit des paupières. Sans être mannequin, elle s'était armée maintes fois de la même façon.

— Je pense que nous portons tous un masque pour cacher notre timidité, notre insécurité ou nos soucis personnels, remarqua-t-elle.

Il pressa tendrement sa main.

— Oui. C'est pourquoi il m'a été facile de comprendre votre désarroi.

Ray s'interrompit et observa son visage.

— J'ai découvert la loyauté et l'intelligence sous la carapace de mes amis. Bobby et Lois surtout ont un sens aigu de l'amitié.

144

Emue, Eve cherchait ses mots. Les remords l'inondaient.

— Je me suis trompée à leur égard, Ray. J'ai été très injuste avec eux. C'est la première fois que je rencontre quelqu'un comme vous, capable d'analyser si bien les sentiments cachés.

— Moi non plus, je ne sais pas toujours exprimer le fond de mon cœur.

— C'est la raison pour laquelle j'ai éprouvé tant de doutes à votre sujet. Je ne comprenais pas l'intérêt que vous me portiez, alors que des femmes élégantes et célèbres gravitaient autour de vous.

— Elles ne comptent pas pour moi.

A son tour, Eve ne se laissa pas interrompre.

— Autant l'avouer franchement, j'ai été terriblement jalouse de Lois. Non seulement vous passiez toutes vos journées à travailler avec elle, mais encore vous vous retrouviez le soir dans les mêmes réceptions. Je n'ai pas eu l'intelligence de deviner vos raisons. Ce n'est pas du tout votre carrière que j'ai méprisée ; seulement, je vous voulais tout à moi.

— Mais, voyons...

— Non, je n'ai pas fini ! Moi aussi, je me suis retranchée derrière une façade. En fait, c'était pour masquer mes doutes, mes angoisses. J'éprouve un terrible complexe d'infériorité qui m'incite à commettre bévue sur bévue. Mes tentatives pour paraître naturelle et détendue sonnent toujours faux.

Eve baissa les yeux.

— Il est vrai que Lois est une femme extraordinaire.

Ray parut surpris.

— Comment le savez-vous ?

— J'ai travaillé récemment avec elle pour le magazine *Monsieur.*

Ray renversa la tête en arrière et se mit à rire doucement.

— Je vois !

Eve se mordit les lèvres. Elle n'avait pourtant pas eu l'intention de trahir Lois et, pourtant, Ray avait saisi à demi-mot.

Il se pencha sur elle et, relevant son menton d'un doigt, il la força à affronter son regard.

— Racontez-moi tout, jeune fille, vous avez papoté toutes les deux comme deux commères, n'est-ce pas ?

— Pas du tout. Très gentiment, Lois m'a incitée à me remettre en question et à réfléchir.

Ray la dévisagea, un peu incrédule.

— Puis-je vous poser une question très franche, Eve ?

— Laquelle ?

— Comment avez-vous pu supposer une seule seconde que je pouvais vous avouer mon amour tout en courtisant Lois ?

Eve devint écarlate. Après les confidences de Lois, les paroles qui avaient suscité ses doutes s'éclairaient d'un jour nouveau. Une légère hésitation se peignit sur ses traits.

— J'ai honte, Ray. Pourtant, vous avez dit une phrase qui n'a cessé de me hanter. C'était : « Je fonde beaucoup d'espoirs sur Lois ! »

Ray eut un sourire attendri.

— Evidemment ! Lois est la meilleure du métier. Hormis notre camaraderie, il était important pour moi qu'elle accepte d'entrer dans mon agence.

— Oui. C'était stupide de ma part d'interpréter ainsi vos paroles. Un peu plus tard, au cours de cette fameuse réception chez vous, Bobby me rappela aussi que vous aviez beaucoup de projets en commun avec elle. J'en ai déduit...

— Vous avez conclu trop hâtivement.

— Pouvais-je deviner ?

— Vous êtes trop sensible, Eve. Par ailleurs, un autre roman se noue entre Bobby et Lois. Mais peut-être vous en a-t-elle parlé ?

Eve se sentit encore plus coupable.

— Oui, mais j'étais tellement désorientée que je n'ai pas insisté sur cette confidence. Lois m'a dit avoir été fort éprise de Bobby. Est-ce terminé entre eux ?

— Non, bien sûr. Mais Bobby est un farouche célibataire. Toutefois, je suppose que le contrat que je leur propose leur permettra de fonder une famille. Jusqu'à présent Bobby trouvait ce métier trop aléatoire pour assumer une telle responsabilité. Si mon projet réussit, leur avenir est assuré.

Eve eut un soupir ému.

— Vous allez faire deux heureux.

Il y eut un silence. Sans doute songeaient-ils chacun à leur bonheur perdu. Raffermissant sa voix, Eve reprit doucement :

— Je me suis montrée mesquine envers Lois et envers vous, je m'en excuse.

Ses yeux se mouillèrent.

— En ce qui concerne votre agence, je veux que vous sachiez combien je suis fière de vous.

Spontanément, Ray passa un bras autour de ses épaules et l'attira contre lui.

— Moi aussi, je suis fier de vous, Eve. Je sais le

courage qu'il vous a fallu pour décrocher le téléphone et me demander de passer ce soir.

— Comme j'ignorais tout de vos projets, précisa Eve pour sauvegarder la discrétion de Lois, j'ai attribué votre silence au fait que vous n'aviez plus envie de me voir.

Ray ne répondit pas tout de suite, mais son regard devint brûlant.

— L'avez-vous vraiment cru, Eve ?

— J'en ai eu très peur.

— Dans ce cas, les torts me reviennent aussi. Mon mutisme est impardonnable.

La main de Ray était toujours posée sur son épaule. Eve n'osait bouger de peur de rompre cet instant magique. Ils avaient fait la paix. Ce geste était une preuve d'amitié et de réconciliation.

— Me pardonnerez-vous jamais ? murmura-t-il.

Eve tressaillit.

— Nos torts sont réciproques, Ray. Nous ne nous sommes pas compris. Vous l'avez dit, tout à l'heure, notre histoire est désormais dans le passé.

Imperceptiblement, il se raidit. Sans tourner la tête, il murmura lentement :

— Si nous avions fait preuve de plus de franchise dès le début, si nous avions partagé nos inquiétudes comme nous l'avons fait tout de suite, sans doute ne nous serions-nous jamais séparés.

Ces dernières paroles étaient teintées d'un profond regret.

Une vague d'amertume inonda la jeune fille. Le passé ne pouvait pas être effacé. Leur caractère leur avait joué un pénible tour. Etait-ce le prix de leurs défauts ? C'était cher payé.

Un silence écrasant tomba entre eux. Ni l'un ni l'autre ne se décidait à le rompre.

Simultanément, ils se tournèrent l'un vers l'autre et leurs regards se croisèrent.

Les yeux de Ray étaient clairs et limpides. Eve eut l'impression de le voir pour la première fois. Ils se découvraient, tout neufs. Ils vivaient une renaissance. Les peurs, les doutes, le manque de confiance avaient disparu et ils se regardaient comme des êtres étonnés et dépouillés du déguisement que la vie impose.

Ils étaient comme des nouveau-nés, s'ouvrant à la vie avec la confiance initiale et probablement innée. Ils ressentaient la fugace et illusoire impression que le monde n'est tissé que de bonheurs.

Une émotion identique pouvait se lire sur leur visage. Ray caressa du doigt doucement, presque timidement, les tempes d'Eve et, d'une voix enrouée par l'émotion, il dit enfin :

— Maintenant que nous avons fait tous deux l'apprentissage de nos lacunes et de nos maladresses, croyez-vous que nous pourrions tout recommencer depuis le début ?

Depuis le début ? C'était un leurre. Déjà, ils avaient tenté cet exploit après la mémorable soirée. Non, il leur serait impossible d'effacer le passé. En revanche, l'expérience leur avait ouvert les yeux. Ils se retrouvaient pareils et pourtant différents. Heureusement, ils avaient encore la possibilité de continuer ensemble.

Etourdie par un flot de bonheur, incapable d'exprimer les pensées qui se bousculaient dans sa tête, Eve trouva les seuls mots importants à dire :

— Je vous aime, mon amour.

Pour toute réponse, il referma ses bras sur elle et enfouit son visage au creux de son épaule.

— Moi aussi, je vous aime. Ne me quittez plus

jamais, il m'est impossible de vivre sans vous. Quoi qu'il arrive, je vous promets de savoir partager. Cette erreur ne se renouvellera plus, elle a failli nous coûter si cher...

Eve s'abandonna contre sa poitrine. La passion la submergea et leurs bouches s'unirent dans un baiser profond. Il la sentit tressaillir au contact de ses lèvres.

Ray releva la tête, une lueur taquine traversa ses yeux clairs et il chuchota :

— Ne seriez-vous pas en train de me séduire ?

Eve eut un rire de gorge. Ray n'avait jamais cessé de l'envoûter. Tant mieux si elle utilisait les mêmes armes.

— Sans doute n'êtes-vous pas le plus séduisant des hommes, mais vous pouvez être sûr...

Cette fois, il ne la laissa pas terminer sa phrase. Il s'empara de sa bouche et la serra tendrement contre lui. Ses mains parcoururent son corps. Le désir les inonda. Une onde brûlante traversa les reins de la jeune femme lorsque les doigts de Ray glissèrent sur sa peau nue.

Néanmoins, elle trouva la force de terminer.

— ... d'être le plus sensuel.

— Le plus sensuel ? répéta-t-il en se redressant brusquement.

Une flamme rieuse dansait dans ses yeux, contredisant à merveille sa protestation choquée.

— Parfaitement. Sinon, comment expliquer la raison pour laquelle je fonds à chaque fois que je me trouve avec vous ?

Ray posa ses lèvres sur la naissance de sa gorge, éveillant encore mille sensations délicieuses.

— Je me suis posé la même question, je crois que c'est vous qui m'avez ensorcelé.

150

Cette conclusion mit fin au dialogue. Ray se leva et emporta la jeune femme dans ses bras. Il poussa du pied la porte de la chambre, la déposa sur le lit. Les yeux clos, Eve laissa le songe se dérouler. Leur union fut exceptionnelle, parfaite... Aucune ombre ne se glissa entre leurs deux corps unis pour le meilleur. Dans la nuit complice, ils connurent un bonheur neuf et sans pareil.

Au petit matin, Eve se blottit plus étroitement contre Ray. Il était déjà éveillé et la contemplait avec une infinie tendresse.

Emerveillée, elle songea à leur bonheur. Comme tout changeait vite dans l'existence ! Hier encore, elle était au fond du gouffre. Qui aurait pu lui prédire qu'en moins de quelques heures son destin allait changer ? Brusquement, une pensée lui traversa la tête. Elle se redressa, affolée.

Ray posa ses mains sur ses épaules nues.

— Que se passe-t-il ? Un nouvel ennui ?

— Je n'ai même pas eu le temps de vous raconter !

Eve se tourna vers lui et ne put s'empêcher de rire.

— Miséricorde, quoi encore ? gémit-il.

— Dans moins d'une heure, je dois être chez *Monsieur*. Pour un peu, j'oubliais mon rendez-vous avec Carl.

Elle lui relata enfin les excellentes nouvelles concernant son métier.

Ray la félicita avec enthousiasme. Puis, fronçant subitement les sourcils, il ajouta :

— C'est merveilleux, mais pour notre avenir tous ces projets demandent une sérieuse révision.

Eve le regarda, interloquée.

— Quelle révision ?

— Avez-vous oublié les conditions essentielles posées par ma future agence ?

Où voulait-il en venir ? Eve lui lança un coup d'œil inquiet.

— Je ne suis pas mannequin, que je sache.

— Certes, déclara-t-il en riant. Mais j'aurai besoin des services d'une merveilleuse photographe. Pour rien au monde je ne choisirai quelqu'un d'autre que vous. Votre studio et mon agence ne feront qu'un eux aussi.

C'était une éventualité tout à fait plaisante. Pourtant, un souffle taquin incita Eve à protester.

— Dites-moi, monsieur Halpern, que devient ma liberté dans vos projets ?

Ray écarquilla les yeux.

— Quelle liberté ?

Avant qu'elle puisse dire un mot, Ray sauta du lit et s'esquiva dans la salle d'eau. Lorsqu'il en revint, une serviette de bain entourant ses reins, il s'inclina devant elle.

— Mme Ray Halpern doit obligatoirement perdre la sienne, déclara-t-il.

Mme Halpern ? Un peu anxieuse, Eve l'interrogea du regard. Ces paroles étaient pourtant limpides, mais elle n'osait pas encore y croire.

— Qui est cette femme ? murmura-t-elle.

— Vous, évidemment.

Cérémonieusement, Ray s'inclina. Puis, n'y tenant plus, il la prit dans ses bras.

— Eve Forsythe, acceptez-vous de prendre pour époux Ray Halpern ?

— Oui, dit-elle avec ferveur en se blottissant contre lui.

Elle sut aussitôt qu'un avenir clair s'ouvrait devant eux. Ils se marieraient dans le Vermont, ils

152

retrouveraient la colline magique où de toute éternité ils s'étaient attendus.

Il n'y avait plus d'obstacle devant eux, seulement un long chemin ensemble et la promesse du bonheur.

Ce livre de la *Série Coup de foudre* vous a plu.
Découvrez les autres séries Duo qui vous
enchanteront.

Romance, c'est la série tendre, la série du rêve et
du merveilleux. C'est l'émotion, les paysages
magnifiques, les sentiments troublants.
Romance, c'est un moment de bonheur.

Série Romance : 4 nouveaux titres par mois.

Désir, la série haute passion, vous propose
l'histoire d'une rencontre extraordinaire entre
deux êtres brûlants d'amour et de sensualité.
Désir vous fait vivre l'inoubliable.

Série Désir : 6 nouveaux titres par mois.

Harmonie vous entraîne dans les tourbillons d'une
aventure pleine de péripéties.
Harmonie, ce sont 224 pages de surprises et
d'amour, pour faire durer votre plaisir.

Série Harmonie : 4 nouveaux titres par mois.

Amour vous raconte le destin de couples
exceptionnels, unis par un amour profond et
déchirés par de soudaines tempêtes.
Amour vous passionnera, *Amour* vous étonnera.

Série Amour : 4 nouveaux titres par mois.

Série Coup de foudre : 4 nouveaux titres par mois.

Duo Série Coup de foudre n° 9

DEBORAH BENET

Histoire d'une passion

Envoûtante, profonde, magnétique, la voix
du chanteur Ted Jefferson est irrésistible.
Il le sait et il en joue avec un charme diabolique.
Aucune femme ne pourrait rester insensible
à sa séduction. Aucune, sauf Sabra Reynolds,
son assistante.

Pour elle, il ne s'agit pas de laisser parler
son cœur; le travail compte avant tout.
Du moins était-ce sa résolution jusqu'au soir,
au fameux soir où, quand Ted la prit dans ses bras,
elle se sentit perdue...

Série Coup de foudre

Duo Série Coup de foudre n° 11

DEBORAH BENET

Rendez-vous au bord du Nil

Pour créer son agence de voyages en Egypte,
Nora Sherrow doit rencontrer Talat Fazzim,
le directeur du Tourisme. Organisée, sûre d'elle,
la jeune femme s'apprête pour ce rendez-vous
dont dépend toute la réussite de son affaire.

Mais l'homme qui se présente à elle ne ressemble
pas au personnage qu'elle attendait. Troublée,
Nora découvre un être d'une étrange beauté,
mystérieux, magique, imprévisible comme
le fleuve de son pays. Dès cet instant, bien
des choses risquent de changer...

Série Coup de foudre

Duo Série Coup de foudre n° 12

ELISA STONE

L'instant d'un regard

Entourée de Hannah, sa fidèle gouvernante,
et de Pamela, la petite fille qu'elle a adoptée,
Carol Delmastro mène une existence bien réglée.
Illustratrice, elle consacre ses journées au travail
et ses soirées à Pamela.

Un jour, en rentrant chez elle, elle croise son
nouveau voisin de palier, dont elle a le temps
d'apercevoir le regard étrangement profond.
Un regard que, en dépit d'elle-même, Carol n'arrive
pas à oublier. Mais si elle savait qui est cet
inconnu, et les surprises qu'il lui réserve,
elle serait encore beaucoup plus troublée.

Série Coup de foudre

Achevé d'imprimer sur les presses de l'Imprimerie Bussière
à Saint-Amand-Montrond (Cher)
le 20 juin 1985. ISBN : 2-277-82010-5
N° 1409. Dépôt légal juin 1985. Imprimé en France

Collections Duo
27, rue Cassette   75006 Paris
diffusion France et étranger : Flammarion

Coup de foudre